*organização*
**Pablo Solón**

# Alternativas sistêmicas

—

Bem Viver, decrescimento, comuns, ecofeminismo, direitos da Mãe Terra e desglobalização

*tradução*
**João Peres**

## Prefácio à edição brasileira
José Correa Leite  **7**

## Introdução
Pablo Solón  **13**

## Sobre os autores  **218**

1. **Bem Viver**
   Pablo Solón   **19**

2. **Decrescimento**
   Geneviève Azam   **65**

3. **Os bens comuns**
   Christophe Aguiton   **85**

4. **Ecofeminismo**
   Elizabeth Peredo Beltrán   **113**

5. **Direitos da Mãe Terra**
   Pablo Solón   **145**

6. **Desglobalização**
   Pablo Solón   **175**

7. **Complementaridades**
   Pablo Solón   **197**

# Prefácio à edição brasileira
José Correa Leite

Vivemos tempos conturbados.

Em múltiplos quadrantes, estão sendo eleitos governantes que questionam a dignidade inerente a todo ser humano, querem erigir muros para separar os acomodados de populações desesperadas e procuram restringir os direitos humanos àqueles que consideram "humanos direitos". Em alguns lugares chegam ao poder demagogos ou políticos que nivelam a justiça a linchamentos ou elogiam a ação de grupos de extermínio, estimulando a difusão da violência na vida social e na política. Crescem manifestações de racismo, misoginia, xenofobia e intolerância.

Trata-se de uma ruptura profunda. Depois da Segunda Guerra Mundial — quando a humanidade se recuperava das décadas de barbárie inominável da primeira metade do século xx —, a ideia de emancipação dos seres humanos de múltiplas hierarquias, opressões e relações de poder emergia como uma concepção política forte. Defendidas por liberais e socialistas contra conservadores de toda ordem, recebeu sua formulação clássica na Declaração Universal dos Direitos Humanos da Organização das Nações Unidas em 1948. Essa concepção foi, então, inserida em um horizonte histórico amplo de desenvolvimento econômico e progresso social. Foi também, depois, alargada por inúmeros movimentos de reconhecimento de opressões, lutas e identidades. Parecia ter se tornado, gradativamente, consenso implícito compartilhado por boa parte do espectro político. Esse horizonte de direitos era tão forte que, até há pouco tempo, parecia ter sido apropriado por um certo multiculturalismo cosmopolita genérico que acompanhava a globalização neoliberal: o mundo tornado um grande mercado, transformando todas e todos em força de trabalho e consumidores, parecia tolerar as múltiplas identidades específicas.

É verdade que sempre permaneceram tons dissonantes, de fundamentalismos religiosos ou de remanescentes das ideologias atávicas, derrotadas na grande guerra civil de 1914 a 1945. Mas elas só pareciam ecoar mais fortemente nas "guerras culturais" travadas pelos reacionários norte-americanos contra a modernidade. Os socialistas alertavam que a expansão irrestrita das relações de mercado ampliava a concentração de riquezas, solapava os direitos sociais, restringia a participação política e eliminava todo horizonte de alteridade, mas a perspectiva de uma reorganização do sistema socioeconômico em base distinta do capitalismo refluía desde os anos 1980 — e, com ela, a crítica socialista.

Mas, agora, quase meio século de globalização neoliberal conjurou monstros que pareciam enterrados junto com as grandes catástrofes do século XX e que renasceram em especial depois da grande crise econômica global de 2008. Os parteiros desses monstros viviam em vários processos estruturais.

Em primeiro lugar, na expansão desenfreada das finanças globalizadas, que se tornaram o dínamo de um capitalismo neoliberal cada vez mais parasitário, e que produziu um crescimento ultrajante das desigualdades. Segundo a Oxfam, 26 bilionários tem a mesma riqueza que toda a metade mais pobre da humanidade em conjunto. A concorrência de todos contra todos se instala como a lógica social do neoliberalismo. Não há como uma sociedade democrática resistir a tal erosão dos pactos sociais.

Se as finanças são capazes de preservar seus ganhos, o

mesmo não acontece com os empreendimentos econômicos produtivos. Desde a grande crise, a economia capitalista entrou em uma longa fase depressiva. A recessão aguda foi vencida com uma enorme injeção de recursos públicos para salvar as grandes corporações e deixou um saldo de dívidas estatais trilionárias, que agora estão sendo pagas com cortes dos gastos sociais. Essas corporações também prosperam reduzindo gastos com salários e impostos e destruindo empregos: temos hoje quase duzentos milhões de trabalhadores sem ocupação, e 42% da força de trabalho mundial (1,4 bilhão de pessoas) estão em situações definidas pela Organização Internacional do Trabalho como de emprego vulnerável ou precário.

Acompanhamos também o crescimento exponencial da predação ambiental e do desarranjo ou destruição de processos naturais essenciais para a manutenção da vida no planeta: o clima, a biodiversidade, os oceanos, os ciclos de água, nitrogênio e fósforo. Junto com o uso cada vez maior dos combustíveis fósseis e a expansão da grande agricultura e pecuária industriais, multiplicam-se os poluentes químicos, os rejeitos da mineração desenfreada, os processos de erosão e desertificação do solo. Continentes inteiros, entre eles o nosso, são forçados, por uma divisão internacional do trabalho imposta de fora, a regredir a uma frágil economia neoextrativista e primário-exportadora — mesmo depois de terem se industrializado e atingido patamares importantes de complexidade econômica e social. Uma grande crise ecológica cresce como horizonte da humanidade e de toda a vida na Terra.

Além disso, as tecnologias digitais — que têm favorecido a concentração do poder econômico — desencadeiam também processos sociais, psíquicos e políticos inéditos e extremamente complexos, vários deles de natureza muito regressiva. Elas produziram uma aceleração dos processos sociais e um aumento da pressão sistêmica sobre indivíduos cada vez mais isolados, sitiados e frágeis, generalizando-se a ponto de se tornarem onipresentes para a metade mais afluente da humanidade. A expansão do consumismo como ideal de felicidade é paralela ao crescimento de um individualismo egoísta e à dissolução dos laços comunitários. Mesmo as grandes comunidades nacionais sentem-se impotentes para organizar vontades políticas autônomas e a construção de instrumentos de contenção da prepotência dos mercados globais. Multiplicam-se as manifestações de mal-estar e as patologias psíquicas, bem como os mecanismos de modulação de comportamentos, de vigilância e de controle das corporações e dos poderes estatais.

A resistência a esses processos tem sido dificultada pelo recuo da crítica de esquerda ao sistema vigente. Cada vez mais economicista e produtivista, ela pode ser hoje identificada como gêmea do globalismo liberal. Esta domesticação da esquerda socialista ou simplesmente progressista pelo capitalismo favoreceu um embaralhamento ideológico incrível, a ponto do principal defensor das ideias liberais no terreno do comércio internacional ser hoje o governo do Partido Comunista Chinês. Isso abriu caminho para que a extrema direita pudesse catalisar o ressentimento profundo que marca as camadas populares derrotadas pela globalização neoliberal e dirigi-los contra todos os processos, movimentos e ideologias que combatem — ou mesmo apenas buscam atenuar — as desigualdades: o movimento dos trabalhadores, o feminismo, a luta anti-racista, os movimentos LGBT, o combate à intolerância e à xenofobia; todos são apresentados como expressões de uma conspiração do multiculturalismo, do "marxismo cultural" e do "globalismo" para dissolver a família, a autoridade e os valores tradicionais.

O enfraquecimento da crítica sistêmica da esquerda é hoje uma das principais fragilidades da luta contra o avanço do conservadorismo, do autoritarismo, do racismo, da xenofobia, da intolerância e do neofascismo. Valorizar horizontes utópicos de outras formas sociais não é irrealismo ou expressão de impotência política. É resgatar bússolas — hoje ausentes — indispensáveis para direcionar e estimular lutas antigas e novas colocadas para a esquerda. É desenhar perspectivas estratégicas que ultrapassam o imediatismo, o taticismo, o economicismo e o pragmatismo de um suposto "realismo político" que é, de fato, muito ingênuo. Os contendores nas lutas políticas aprendem com as lições do passado, e, sem definições fortes do que são suas alternativas sistêmicas, as esquerdas são reduzidas a coadjuvantes dos processos em curso.

O livro que trazemos aos leitores brasileiros, *Alternativas sistêmicas*, é fruto de um ciclo de seminários coordenado pelo Focus on the Global South, da Ásia, pela Associação pela Tributação das Transações Financeiras para Ajuda aos Cidadãos (ATTAC), da França, e a Fundação Solón, da Bolívia. Do diálogo entre as experiências de América Latina, Ásia e Europa resultaram os textos sobre o Bem Viver (de Pablo Solón), o decrescimento (de Geneviève Azam), os bens comuns (de Christophe Aguiton), o ecofeminismo (Elizabeth Peredo Beltrán), os direitos da Mãe Terra e a desglobalização (ambos de Pablo Solón) que apresentamos a seguir.

No Brasil de Bolsonaro e da militarização da política, onde a mineradora Vale destrói Mariana e Brumadinho impunemente, onde a exportação de produtos primários se torna a coluna vertebral da economia, onde a reação patriarcal e racista se torna o carro-chefe do crescimento de uma extrema direita ancorada em homens brancos de renda mais alta, acreditamos que o debate dessas alternativas sistêmicas oferece um novo oxigênio para uma esquerda que precisa se revigorar, mas principalmente se reinventar.

São Paulo, 20 de fevereiro de 2019

# Introdução
Pablo Solón

Este livro parte da premissa de que estamos vivendo uma crise sistêmica que só pode ser resolvida com alternativas sistêmicas. O que a humanidade enfrenta não é só uma crise ambiental, econômica, social, geopolítica, institucional e civilizatória. Essas crises são parte de um todo. É impossível resolver qualquer uma delas sem abordar conjuntamente todas as outras. Elas se retroalimentam. As estratégias unidimensionais não conseguirão resolver essa crise sistêmica. Pelo contrário, podem agravá-la.

A humanidade, desde a primeira civilização de que se tem notícia, há oito mil anos, atravessou diferentes crises que também combinaram várias dessas dimensões. Porém, esta é a primeira vez que estamos diante de uma crise de caráter mundial que afeta cada rincão do planeta — e que inclusive está mudando a era geológica do Holoceno,[1] na qual, graças à estabilidade climática, diferentes culturas se desenvolveram. A magnitude é tão grande que o que está em jogo não é uma civilização em particular, mas o destino da humanidade e da vida. A crise sistêmica é de tal envergadura que está provocando a sexta extinção da vida na Terra. O planeta, assim como

---

[1] Na escala de tempo geológico, o Holoceno é a época mais recente do período Quaternário, iniciada há cerca de onze mil anos. É a fase marcada pelo degelo do planeta, que criou condições para a evolução humana. [N.E.]

das outras vezes, continuará seu devir, que já que tem mais de quatro bilhões de anos, mas serão alteradas as condições ambientais que tornaram possível o surgimento de milhões de formas de vida — incluída a humana.

Esse processo foi desencadeado por um conjunto de fatores, principalmente pela busca incessante de lucros do sistema capitalista às custas do planeta e da humanidade. Esse sistema está causando a extinção de espécies, a perda da biodiversidade, a degradação do ser humano e o esgotamento dos limites da natureza. Não se trata de apenas mais uma crise cíclica do capitalismo, ao fim da qual se superará a recessão com cifras recordes de crescimento. Estamos falando de uma crise muito mais profunda, que se estendeu a todos os aspectos da vida na Terra e que agora tem uma dinâmica própria, sem possibilidade de reversão dentro dos marcos do sistema capitalista.

Longe de se autoimplodir pelas contradições internas, o capitalismo está se reconfigurando à procura de novos mecanismos para aumentar suas taxas de lucro, até extrair a última gota de sangue das pessoas e do planeta. Tudo é mercantilizável. Tudo é uma "oportunidade" para novos negócios. Os desastres naturais, a especulação financeira, o militarismo, o tráfico de mulheres e crianças, os "serviços ambientais" florestais, a água… Não há limites. A superexploração, o hiperconsumo e o desperdício são os motores desse sistema, que exige crescimento infinito de um planeta finito. O aumento da desigualdade e a destruição dos ciclos vitais da natureza são seu legado.

As alternativas só podem ser construídas se aprofundarmos nossa compreensão sobre esse processo de reconfiguração. O capitalismo demonstrou uma grande capacidade de adaptação, captura e criação de soluções para si. Tudo o que começa como uma ideia ou movimento progressista é cooptado, transformado e incorporado para manter e reproduzir o sistema.

No entanto, o capitalismo não é o único elemento que levou a essa crise sistêmica. O produtivismo e o extrativismo que a ele deram origem — e que sobreviveram inclusive em economias que queriam superar o capitalismo — são dois fatores-chave. A ideia de uma sociedade florescente, baseada em um contínuo crescimento econômico, levou a romper com o equilíbrio climático alcançado pela Terra há onze mil anos.

A isso temos de somar as estruturas e a cultura patriarcal, que sobrevive há séculos e que alimenta diferentes formas de concentração e exercício do poder em benefício de elites privadas, tanto no espaço público como no privado. O capitalismo não criou o patriarcado, mas o acentuou de uma forma particular ao invisibilizar o trabalho reprodutivo e de cuidado que as mulheres e outros grupos humanos desenvolvem em espaços não mercantilizados.

Por último, a visão antropocêntrica dominante considera o ser humano como superior, separado da natureza e acima dela. Assim como o patriarcado considera a mulher um objeto, o antropocentrismo considera que a natureza pode ser explorada e transformada em benefício humano. Essa visão de mundo, que já existia em sociedades pré-capitalistas, cresceu exponencialmente com a revolução industrial e os avanços da tecnologia.

Portanto, quando falamos em construir alternativas sistêmicas, estamos nos referindo não apenas à superação do capitalismo, mas a estratégias que sejam capazes de enfrentar e superar o patriarcado, o produtivismo-extrativismo e o antropocentrismo.

As alternativas não surgem no vazio. Emergem de lutas, experiências, iniciativas, vitórias, derrotas e do ressurgimento dos movimentos sociais, e aparecem em um processo muitas vezes contraditório de análises, prática e propostas que são validadas na realidade.

Não há somente uma alternativa. Há muitas. Algumas vêm dos povos originários, como o Bem Viver. Outras, como o decrescimento, vêm à tona em sociedades industrializadas que já ultrapassaram os limites do planeta. O ecofeminismo aporta a dimensão essencial para superar o patriarcado e o antropocentrismo. Os direitos da Mãe Terra buscam construir novas formas de relacionamento com a natureza. Os "comuns" enfatizam a autogestão das capacidades humanas. A desglobalização se concentra na análise do processo globalizante e no desenvolvimento de novas vias de integração mundial que garantam centralidade aos povos e à natureza.

O ecossocialismo, a soberania alimentar, a economia solidária, o *ubuntu* e muitas outras visões contribuem a partir de diferentes perspectivas. Todas têm pontos fortes, limitações, contradições e semelhanças. Todas são propostas em construção, peças de um quebra-cabeças com múltiplas respostas e que se altera na medida em que se agrava a crise sistêmica.

Nenhuma destas propostas é capaz de enfrentar, sozinha, essa crise. Todas — e muitas outras que ainda podem surgir — precisam complementar-se para forjar alternativas. Complementar-se significa completar-se: articular-se para criar um todo que ofereça respostas à complexidade do problema. É aprender com o outro, enxergar-se através do outro, descobrir a força alheia, explorar as fraquezas e os vazios comuns. E, sobretudo, pensar em como encadear forças para resultar em algo superior.

A diversidade de realidades que interagem em nosso planeta requer alternativas sistêmicas diversas. Por isso é que falamos em "alternativas", no plural, e que o objetivo deste trabalho reside em promover um diálogo construtivo e criativo entre essas diferentes visões.

Este livro é resultado do projeto Alternativas sistêmicas, coordenado por Focus on the Global South, da Ásia,

Associação pela Tributação das Transações Financeiras para Ajuda aos Cidadãos (ATTAC), da França, e Fundação Solón, da Bolívia. Os capítulos, por um lado, refletem a opinião de seus autores e, por outro, são expressão do processo de interação e construção coletiva ao longo de diferentes eventos e vivências, que contaram com o generoso apoio de Comité catholique contre la faim et pour le développement (CCFD), Fastenopfer e Dreikönigsaktion (DKA).

Esperamos que essa publicação desperte e desencadeie novos debates, cada vez mais profundos e agudos, que ajudem a fazer frente à crise sistêmica que vivemos.

# 1. Bem Viver
Pablo Solón

O Bem Viver, *Buen Vivir* ou *Vivir Bien* é um conceito em construção que passou por diferentes momentos ao longo da história. Não existe uma definição única para o termo, que hoje é alvo de disputa. Ironicamente, há instituições do grande capital que também falam em Bem Viver, mas de um ponto de vista muito diferente do imaginado há mais de uma década por seus defensores, engajados na luta contra o neoliberalismo. Assim, o Bem Viver se tornou um espaço de controvérsia e diálogo, no qual não há verdade absoluta, mas múltiplas verdades — e inumeráveis mentiras canonizadas em seu nome.

Três décadas atrás, quase não se falava desse tema na América do Sul. O que existia eram os conceitos *suma qamaña*, dos Aimará, e *sumak kawsay*, dos Quéchua, que expressam um conjunto de ideias centradas nos sistemas de conhecimento, prática e organização dos povos andinos. O *suma qamaña* e o *sumak kawsay* eram realidades vivas dessas comunidades, objeto de estudo de antropólogos e intelectuais. Durante quase todo o século XX, essa visão passou despercebida por amplos setores da esquerda e por organizações sociais urbanas.

Ambos os conceitos surgiram há séculos e continuam existindo, embora cada vez mais pressionados pela contemporaneidade e pelo desenvolvimentismo. Em outros povos indígenas da América Latina há visões e termos similares, como o *teko kavi* e o *ñandereko*, dos Guarani, o *shiir waras*, dos Shuar, e o *küme mongen*, dos Mapuche.

A teorização e o surgimento do conceito do Bem Viver tiveram início entre o final do século passado e o começo deste século. Sem o desenrolar avassalador do neoliberalismo e o Consenso de Washington,[2] talvez o *suma qamaña* e o *sumak kawsay* não tivessem dado origem ao Bem Viver. O fracasso do socialismo soviético, a ausência de alternativas, o avanço das privatizações e a mercantilização de múltiplas esferas da natureza, porém, estimularam um processo de reaprendizagem de práticas e visões indígenas que haviam sido menosprezadas pela modernidade capitalista.

Esse processo de revalorização se deu na teoria e na prática. A demissão de centenas de milhares de trabalhadores pela aplicação de medidas neoliberais provocou uma mudança na estrutura de classes dos países andinos. No caso boliviano, os mineiros — que por quase um século representaram a vanguarda de todos os setores sociais — foram deslocados, e os povos indígenas e camponeses cobraram notoriedade.

A luta indígena em defesa dos territórios provocou não só solidariedade, mas despertou interesse por compreender essa visão autogestionária. Setores da esquerda e intelectuais progressistas que haviam perdido a utopia devido à queda do Muro de Berlim começaram a embrenhar-se na compreensão das cosmovisões indígenas. Assim foram surgindo os conceitos de Bem Viver ou Viver Bem, tradução incompleta e insuficiente do *suma qamaña* e do *sumak kawsay*, que têm

2  O Consenso de Washington representou a convergência de pensamento sobre políticas públicas dos anos 1980, com base na ideologia neoliberal da alta burocracia e agências econômicas dos Estados Unidos (FMI, Banco Mundial e BID). O conjunto de medidas inclui a disciplina fiscal, redução de gastos públicos, privatização de estatais, liberalização do comércio e outras diretrizes que foram largamente aplicadas na América Latina a partir dos anos 1990, manifestando crises de insolvência econômica, estagnação e aumento da pobreza e desigualdade. [N.E.]

um conjunto mais complexo de significados, como "vida plena", "vida doce", "vida harmoniosa", "vida sublime", "vida inclusiva" e "saber viver".

O Bem Viver, como conceito original, ainda não havia alcançado a maioridade quando subitamente entrou em uma nova fase com a ascensão dos governos de Evo Morales na Bolívia, em 2006, e de Rafael Correa no Equador, em 2007. Ambos os termos foram institucionalizados por esses países em suas novas constituições e se transformaram em referências para várias reformas normativas e institucionais. O Bem Viver passou a ser parte do discurso oficial e foi incorporado pelos planos nacionais de desenvolvimento.

O triunfo em nível constitucional impulsionou a complementaridade com outras visões, como a "jurisprudência da Terra", do sacerdote e ecoteólogo norte-americano Thomas Berry, acarretando o surgimento de novas propostas, como os direitos da Mãe Terra e os direitos da natureza, originalmente não contemplados pelo Bem Viver. O impacto desse conceito foi tão forte que algumas alternativas sistêmicas — como o decrescimento, os "comuns" e o ecossocialismo — voltaram-se a essa visão.

Porém, esse triunfo foi também o começo de uma fase de controvérsias em torno da aplicação concreta do Bem Viver na Bolívia e no Equador. Inicialmente acompanhado de muitas esperanças, o conceito rapidamente redundou em profundas disputas. O Bem Viver está realmente sendo aplicado? Esses países avançam em direção a esse objetivo, ainda que com contradições, ou perderam a mão?

A aplicação desse conceito, que ambos os governos propagandearam em nível nacional e internacional, levou a uma redefinição. O que é realmente o Bem Viver? É uma visão alternativa ao extrativismo ou uma nova forma de desenvolvimentismo, mais humano e amigável com a natureza?

Hoje existem diferentes interpretações, tanto na Bolívia como no Equador. De maneira simplista, poderíamos dividir entre a versão contestadora e a versão oficial: uma rebelde e outra palatável, inclusive aceitável para instituições financeiras, como o Banco Mundial. Essas diferenças se aprofundaram com o passar dos anos. Hoje, importantes expoentes do Bem Viver afirmam que os respectivos governos não praticam nem praticaram esse conceito, e amplos setores da população consideram que a proposta ficou apenas no discurso. O Bem Viver como paradigma está em crise porque perdeu credibilidade social. No entanto, sua essência resiste e ainda nutre processos de reflexão em todo o mundo.

É realmente possível o Bem Viver em nível nacional e regional? Quais os erros cometidos? Quais lições devemos colher depois de mais uma década de governos de Bem Viver? Como avançar a uma prática condizente com os postulados dessa visão? Não sabemos qual será o futuro do Bem Viver. Talvez acabe como mera retórica diversionista ou como uma nova forma de conceituação do desenvolvimento sustentável. Os governos de Equador e Bolívia querem que o conceito se ajuste à prática, e não que as políticas sigam de verdade o caminho subversivo do Bem Viver. Na busca pela canonização dessa visão, têm em seu favor inúmeros meios de comunicação e a cumplicidade de instituições internacionais, que se deram conta de que a melhor estratégia para desfigurar essa proposta é apropriar-se de sua linguagem.

Nesse contexto de controvérsia, reaprendizagem e futuro incerto, é fundamental ir ao cerne da proposta para enfim avançar em sua implementação real.

## 1.1. Os elementos centrais

Não há um decálogo do Bem Viver. Toda tentativa de defini-lo de maneira absoluta o asfixia. O que podemos fazer é nos aproximarmos de sua essência. Não se trata de um conjunto de receitas culturais, sociais, ambientais e econômicas, mas de uma mistura complexa e dinâmica que abarca desde uma concepção filosófica do tempo e do espaço até uma cosmovisão sobre a relação entre os seres humanos e a natureza.

Não temos a pretensão de abordar todas essas facetas neste texto. Nosso foco são as que podem ser nevrálgicas para a construção teórica e a prática de alternativas sistêmicas. A força do Bem Viver, em comparação com outras alternativas, está nos seguintes elementos:

- Sua visão do todo ou da Pacha;
- A convivência na multipolaridade;
- A busca do equilíbrio;
- A complementaridade da diversidade;
- A descolonização.

### 1.1.1. O todo e a Pacha

O ponto de partida de toda alternativa sistêmica é a compreensão do todo. Qual é a totalidade em que opera o processo de transformação que desejamos? Podemos realizar uma mudança profunda somente a nível nacional? Podemos ter êxito se nos concentramos apenas em aspectos econômicos, sociais e institucionais? O "todo" é o sistema capitalista mundial ou esse é apenas parte de um "todo" maior?

Para o Bem Viver, o "todo" é a Pacha, conceito andino que muitas vezes foi traduzido simplesmente como Terra — daí a referência a Pacha Mama como a Mãe Terra. No entanto, Pacha tem um sentido muito mais amplo, com uma compreensão indissolúvel entre espaço e tempo. Pacha é o "todo" em movimento constante, o cosmos em permanente evolução. Pacha não se refere apenas ao mundo dos humanos, dos animais e das plantas, mas ao mundo de cima (*hanaq pacha*), habitado pelo sol, pela lua e pelas estrelas, e o mundo de baixo (*ukhu pacha*), onde vivem os mortos e os espíritos. Para o Bem Viver, tudo está interconectado e forma uma unidade.

Nesse espaço convivem e se relacionam de maneira dinâmica o passado, o presente e o futuro. A visão andina do tempo não segue a mecânica de Isaac Newton, que postula que o tempo é independente do espaço e tem uma magnitude idêntica para qualquer observador. Pelo contrário, essa cosmovisão nos recorda a famosa frase de Albert Einstein: "a distinção entre passado, presente e futuro é só uma persistente ilusão". Dentro da concepção da Pacha, o passado está sempre presente e é recriado pelo futuro.

O tempo e o espaço não são lineares: são cíclicos. A noção linear de crescimento e progresso não é compatível com essa visão. O tempo avança em forma de espiral e o futuro se entronca com o passado. Em todo avanço há um retrocesso e todo retrocesso é um avanço. Disso decorre a expressão aimará de que, para caminhar adiante, há que olhar sempre para trás.

Essa visão do tempo, em espiral, questiona a noção de "desenvolvimento", de avançar sempre em direção a um ponto superior. Esse devir ascendente é uma ficção para o Bem Viver. Todo avanço dá voltas, não há nada eterno, tudo se transforma.

Na Pacha não existe separação entre seres vivos e corpos inertes: todos têm vida. A vida só se explica pela relação entre as partes do todo. A dicotomia entre seres vivos e objetos não existe, pois não há uma separação entre seres humanos e a natureza. Somos todos parte da natureza, e a Pacha, como todo que é, tem vida.

Para o filósofo suíço Josef Estermann, a Pacha:

> não é uma máquina ou um mecanismo gigante que se organiza e se move simplesmente por leis mecânicas, como foi dito por filósofos europeus modernos, especialmente Descartes e seus seguidores. Pacha é, melhor dizendo, um organismo vivo em que todas as partes estão relacionadas entre si, em constante interdependência e intercâmbio. O princípio básico de qualquer "desenvolvimento" deve ser, portanto, a vida (*kawsay, qamaña, jakaña*) em sua totalidade, não apenas a dos seres humanos ou animais e plantas, mas de toda a Pacha. (Estermann, 2012a)

O objetivo dos humanos não é controlar a natureza, mas cuidá-la como se cuida da mãe que te deu a vida. Aí, sim, a expressão Mãe Terra faz sentido. A sociedade não pode entender-se apenas na relação entre humanos, mas como uma comunidade que tem a natureza e o todo como centro. Somos a comunidade da Pacha, a comunidade de um todo indissolúvel em permanente processo de mudança cíclica.

O *suma qamaña* e o *sumak kawsay* são pachacêntricos, e não antropocêntricos. Logo, o reconhecimento e o pertencimento ao conjunto são as chaves para o Bem Viver, justificando o princípio da "totalidade" como núcleo da cosmovisão andina.

Para viver bem, é preciso valorizar todas as experiências. A vida material, por exemplo, é apenas um aspecto e não se reduz à acumulação de coisas e objetos.

Temos de aprender a comer bem, dançar bem, dormir bem, beber bem, a praticar a crença que se tenha, trabalhar pela comunidade, cuidar da natureza, valorizar os mais velhos, respeitar tudo o que nos rodeia e aprender também a morrer, porque a morte é parte integral do ciclo da vida. Na forma aimará de pensar, não existe a morte, como se entende no Ocidente, onde o corpo desaparece no inferno ou no céu. Aqui a morte é apenas mais um componente da vida porque se vive novamente nas montanhas ou na profundidade dos lagos e rios (Mamani Ramírez, 2011).

Nesse sentido, o todo tem uma dimensão espiritual, na qual as concepções do eu, da comunidade e da natureza se fundem e estão vinculadas de forma cíclica no espaço e no tempo. Viver abarcando esse todo implica viver com afeto, com cuidado, com autocompreensão e com empatia pelos demais.

Essa cosmovisão tem uma série de implicações concretas. As políticas favoráveis são as que levam em conta o todo, e não algumas partes. Atuar em função dos interesses de uma parte (humanos, países do Norte, elites, acumulação material etc.) inevitavelmente provocará desequilíbrios no todo. Toda medida deve tratar de entender as múltiplas dimensões e inter-relações de todas as partes.

## 1.1.2. A convivência na multipolaridade

Para o Bem Viver, sempre há uma dualidade: tudo tem pares contraditórios. O bem puro não existe. O bem e o mal sempre convivem. Tudo é e não é. O indivíduo e a comunidade são polos de uma mesma unidade, e uma pessoa só existe enquanto atua pelo bem comum da comunidade a que pertence. Sem comunidade não há indivíduo, e sem seres singulares não há comunidade. Uma pessoa não é uma pessoa sem seu par, logo, a eleição de autoridades se dá em duplas. Essa bipolaridade ou multipolaridade dos pares está presente no todo, enquanto a polaridade indivíduo-comunidade está imersa na polaridade humanidade-natureza. Do mesmo modo, a comunidade está formada não só de humanos, mas de não humanos.

O Bem Viver é aprender a conviver nessa dualidade. O desafio não é "ser", mas "aprender a se inter-relacionar". A existência não é algo dado: depende de um conjunto de relações.

Nas comunidades andinas, a propriedade privada individual coexiste com a propriedade comunitária. É claro que há diferenças e tensões entre membros de uma comunidade, mas esses conflitos são administrados por meio de diferentes práticas culturais orientadas a certos níveis de redistribuição. Isso significa, por exemplo, que os mais ricos pagam a festa de toda a comunidade ou se encarregam de serviços que beneficiem a todos.

Há vários tipos de colaboração entre a comunidade. Na *mink'a*, todos fazem trabalho coletivo. No *ayni*, algumas pessoas apoiam outras, e em troca recebem apoio, como na colheita ou na semeadura. Os principais marcos comunitários não se limitam ao indivíduo ou à família. Quando nasce uma criança, todos celebram. O casamento não é a união de duas pessoas, mas de duas famílias ou duas comunidades.

Em nível mundial, as comunidades indígenas são muito diversas. Variam de região para região e de país para país. Apesar das diferenças, compartilham o sentido de responsabilidade e de pertencimento às comunidades. O pior castigo é ser expulso do grupo social: é pior que a morte, pois se trata de perder o pertencimento, a essência, a identidade. As sociedades ocidentais, em contraste, tendem a se concentrar no êxito pessoal, nos direitos individuais e, sobretudo, na proteção da propriedade privada por meio de leis e instituições.

O Bem Viver não é igualitarista — e essa é uma quimera, porque sempre existem desigualdades e diferenças. A chave não é anular essas diferenças, mas conviver com elas, a fim de evitar que as desigualdades se agravem e polarizem a ponto de desestabilizar o todo. O fundamental é aprender e reaprender a viver em comunidade, respeitando a multipolaridade.

Na realidade, o Bem Viver é um chamado a redefinir o que entendemos por "bem-estar". Ser rico ou pobre é uma condição, mas ser humano é uma característica essencial. Assim, esse conceito se preocupa menos com o "bem-estar" (a condição da pessoa) e mais com o "bem-ser" (a essência da pessoa).

### 1.1.3. A busca do equilíbrio

O objetivo do Bem Viver é a busca do equilíbrio entre os diferentes elementos que compõem o todo. Uma harmonia não apenas entre seres humanos, mas também entre os humanos e a natureza, entre o material e o espiritual, entre o conhecimento e a sabedoria, entre diversas culturas e entre diferentes identidades e realidades.

O Bem Viver não é uma versão de desenvolvimento mais democrática, não antropocêntrica, holística ou humanizante. Ao contrário das civilizações ocidentais, essa cosmovisão não abraça a noção de progresso, pois persegue o equilíbrio em oposição ao crescimento permanente. Um equilíbrio que tampouco é eterno e perene, o que resulta em novas contradições e desencontros que demandam novas ações para um reequilíbrio. Essa é a fonte principal do movimento, da mudança cíclica no tempo-espaço. Logo, a busca da harmonia entre os humanos e com a Mãe Terra não é a busca de um estado idílico, mas a razão de ser do todo.

É importante dizer que esse equilíbrio não se assemelha à estabilidade que o capitalismo jura almejar através do crescimento contínuo. A estabilidade, assim como o crescimento permanente, é uma faca de dois gumes. Cedo ou tarde, todo crescimento sem limites provoca transtornos severos na Pacha, como estamos vendo. O equilíbrio sempre é dinâmico, por isso o objetivo não é chegar a um equilíbrio perfeito, sem contradições, que claramente não existe. Tudo se move em ciclos, como um ponto de chegada e de partida para novos desequilíbrios, novas e mais complexas contradições e complementaridades. O Bem Viver não quer alcançar um paraíso, mas buscar o bem-estar e o equilíbrio ativo e transformador do todo.

Para Josef Estermann, na visão andina os humanos não são proprietários ou produtores. São, antes, cuidadores, cultivadores e facilitadores. A única força estritamente produtiva é a Mãe Terra, em seus diversos aspectos, como a água, os minerais e a energia em geral. Os seres humanos não produzem ou dão origem: apenas cultivam ou criam o que a Pacha Mama lhes dá. Nós ajudamos a dar à luz. Nosso papel é ser uma ponte, um mediador que contribui à busca do equilíbrio, cultivado a partir da sabedoria com que nos brinda a natureza. O desafio não é ser mais ou ter mais, mas buscar sempre a harmonia entre as diferentes partes da comunidade da Terra.

Esse componente essencial tem grandes implicações porque não apenas questiona o paradigma dominante do crescimento, mas também promove uma alternativa concreta. Uma sociedade é forte quando contribui para o equilíbrio tanto entre humanos como com a natureza. Nesse processo, supera-se o conceito dos humanos como produtores, conquistadores e transformadores da natureza.

### 1.1.4. A complementaridade da diversidade

O equilíbrio entre contrários que habitam um todo só é possível através da complementaridade, sem anular o outro. Complementar significa ver a diferença como parte do todo, porque a alteridade e a particularidade são intrínsecas à natureza e à vida. Nunca seremos todos iguais. O que devemos fazer é respeitar a diversidade e encontrar maneiras de articular experiências, conhecimentos e ecossistemas.

O capitalismo opera sob uma dinâmica muito diferente. Segundo a lógica do capital, o fundamental é a competição para aumentar a eficiência. Tudo que coloque limites a essa competição é negativo. A concorrência fará com que cada setor ou país se especialize no que faz de melhor. Ao final, cada um se tornará mais eficiente, a inovação será incentivada e a produtividade crescerá.

Já da perspectiva da complementaridade, a concorrência é negativa porque uns vencem e outros perdem, desequilibrando o todo, ao passo que o correto é buscar a combinação de forças. Quanto mais um se articula com o outro, maior é a resiliência individual e do todo. A complementaridade não reside na ideia de que opostos se neutralizam, mas no reconhecimento das possibilidades que a diversidade forja no equilíbrio do todo.

Em termos concretos, isso significa que, em vez de buscar a eficiência através de regras iguais para grupos, setores ou países desiguais, devemos promover regras assimétricas que beneficiem os menos favorecidos.

O Bem Viver é o encontro da diversidade. Saber viver é praticar pluriculturalidade. É reconhecer e aprender com a diferença, sem arrogância ou prejuízo.

Isso também significa que há outras formas de Bem Viver no mundo que não a versão andina. Essas formas residem na sabedoria e nas práticas dos povos que buscam sua própria identidade. Assim, o Bem Viver é um conceito plural, tanto pelo reconhecimento da pluriculturalidade humana como pela existência da diversidade de ecossistemas na natureza (Gudynas & Acosta, 2012). Não há uma única alternativa. Há múltiplas, que se complementam para engendrar alternativas sistêmicas.

Não se trata de um retorno utópico ao passado. Trata-se do reconhecimento de que na história da humanidade houve, há e haverá outras formas de organização cultural, econômica e social que podem contribuir para superar a atual crise sistêmica na medida em que se complementem.

## 1.1.5. A descolonização

Na visão do Bem Viver, há uma luta contínua por descolonização. A colonização espanhola deu início, há mais de quinhentos anos, a um novo ciclo. Mas esse legado de exploração não se encerrou com os processos de independência e formação das repúblicas, no século XIX: ainda continua, sob novas formas e estruturas de dominação.

Descolonizar-se é desmantelar esses sistemas políticos, econômicos, sociais, culturais e mentais que imperam. É um processo de fôlego, que não se produz de uma vez e em definitivo. Podemos nos tornar politicamente independentes de uma potência estrangeira e acabar ainda mais dependentes de sua hegemonia econômica. Podemos conquistar soberania econômica e, no entanto, continuar sendo submissos culturalmente. Podemos ter reconhecimento constitucional pleno de nossa identidade cultural e continuar prisioneiros de uma visão consumista ocidental. Essa é, talvez, a parte mais difícil da descolonização: liberar mentes e almas capturadas por conceitos falsos e alheios.

Para construir o Bem Viver devemos descolonizar nossos territórios e nosso ser. A descolonização do território implica a autogestão e a autodeterminação em todos os níveis. Deve ser ainda mais complexa, superando muitas crenças e valores que impedem nosso reencontro com a Pacha.

O primeiro passo para o Bem Viver é ver com nossos próprios olhos, pensar por nós mesmos e sonhar nossos próprios sonhos. Um ponto-chave é o encontro com nossas raízes, nossa identidade, nossa história e nossa dignidade. Descolonizar-se é reclamar nossa vida, recuperar o horizonte. Não é voltar ao passado, mas dotar o passado de conteúdo presente. É fazer da memória um sujeito histórico. Para o escritor boliviano Rafael Bautista (2010),

> o discurso linear do tempo da física moderna já não nos serve; por isso precisamos de uma revolução no pensamento, como parte da mudança. O passado não é o que se deixa para trás e o futuro não é o que está por vir. Quanto maior a consciência sobre o passado, maior a possibilidade de criar o futuro. O verdadeiro assunto da história não é o passado enquanto passado, mas o presente, porque o presente é o que sempre necessita de futuro e de passado.

O Bem Viver advoga por recuperar o passado para redimir o futuro, amplificando as vozes ignoradas das comunidades e da Mãe Terra (Rivera Cusicanqui, 2010).

A descolonização implica rejeitar um *statu quo* injusto e recuperar nossa capacidade de olhar em profundidade, libertando-se das amarras das categorias coloniais que limitam nossa imaginação. Significa responder às injustiças cometidas contra outros seres — humanos e não humanos —, derrubar falsas barreiras entre a humanidade e a natureza, dizer em voz alta aquilo que pensamos, superar o medo de ser diferente e restaurar o equilíbrio dinâmico e contraditório que foi rompido por um sistema e um modo de pensar dominantes.

## 1.2. Constitucionalização e implementação

Ao institucionalizar e formalizar uma cosmovisão, sempre ocorre um processo de fragmentação. Há aspectos que são ressaltados e outros que são deixados de lado. Alguns significados se destacam, outros se perdem. Ao final, resta um corpo mutilado, que pode ter um alcance maior, mas que está incompleto.

Isso se deu com o Bem Viver nos governos de Evo Morales e de Rafael Correa. Pela primeira vez, após séculos de exclusão, a visão dos povos indígenas foi reconhecida e incorporada como um elemento-chave das agendas políticas. *Suma qamaña* e *sumak kawsay* se tornaram pontos centrais do discurso estatal. Tudo começou a ser feito em seu nome.

Ambos foram incluídos, com diferentes expressões, nas novas constituições dos dois países em, 2008 e 2009. No caso do Equador, *sumak kawsay* aparece cinco vezes, e Bem Viver, 23, dando inclusive origem a um capítulo (Direitos do Bem Viver) e um título (Regime do Bem Viver). Porém, quando analisamos com calma como esse conceito foi expresso, descobrimos que se traduziu como:

- Um ideal a alcançar: "uma nova forma de convivência cidadã, em diversidade e harmonia com a natureza, para alcançar o Bem Viver, o *sumak kawsay*."
- Uma forma de vida: "o Estado promoverá formas de produção que assegurem o Bem Viver da população."
- Um conjunto de direitos, como água e alimentação, ambiente saudável, comunicação e informação, cultura e ciência, educação, habitat, moradia, saúde, trabalho e seguridade social.
- Um conceito a serviço do qual estão o desenvolvimento e a produtividade: "o regime de desenvolvimento é

o conjunto organizado, sustentável e dinâmico dos sistemas econômicos, políticos, socioculturais e ambientais que garantem a realização do Bem Viver, do *sumak kawsay*"; "planificar o desenvolvimento nacional [...] para alcançar o Bem Viver"; e "desenvolver tecnologias e inovações que impulsionem a produção nacional, elevem a eficiência e a produtividade, melhorem a qualidade de vida e contribuam à realização do Bem Viver".

No caso da Constituição da Bolívia, o Bem Viver aparece sete vezes, e o *suma qamaña*, uma vez. À diferença da versão equatoriana, o texto boliviano mostra esse conceito como um conjunto de princípios éticos e morais: "o Estado assume e promove como princípios ético-morais da sociedade plural: *ama qhilla*, *ama llulla*, *ama suwa* (não seja fraco, não seja mentiroso, não seja ladrão), *suma qamaña* (Viver Bem), *ñandereko* (vida harmoniosa), *teko kavi* (vida boa), *ivi maraei* (terra sem mal) e *qhapaj ñan* (caminho ou vida nobre)".

Ainda assim, a Constituição boliviana o apresenta como um ideal a ser alcançado, uma forma de vida, e o vincula ao "desenvolvimento produtivo industrializador dos recursos naturais". Em suma, a versão equatoriana prima por uma visão de direitos, ao passo que a boliviana faz uma abordagem ética. Nas duas constituições, esses conceitos convivem, se articulam e são instrumentalizados em função de uma visão desenvolvimentista e produtivista.

Sem negar a importância e as grandes dificuldades que houve na redação e na aprovação desses textos, é evidente que se perdeu boa parte da substância. Bem Viver, *sumak kawsay* e *suma qamaña* se transformaram em termos simbólicos de reconhecimento dos povos andinos, mais do que em pontos de inflexão para o desenvolvimento capitalista, que seguiu vigente sob os auspícios de uma "economia plural".

É fundamental apreciar o desenrolar dos conceitos durante a última década. Como essas visões foram implementadas? Em que medida se concretizaram em diferentes aspectos da vida nesses dois países? Para responder a essas perguntas, vamos entender o que ocorreu com a economia, a natureza e as organizações sociais destes países — as protagonistas de todo o processo de mudança.

### 1.2.1. O extrativismo populista

Os governos boliviano e equatoriano consideram que estamos na rota do Bem Viver, apesar das dificuldades e problemas. A prova estaria nas estatísticas de crescimento econômico, na redução da pobreza, no aumento das reservas internacionais e do investimento público, na ampliação da infraestrutura rodoviária, de saúde, de educação e de telecomunicações, entre muitos outros indicadores.

As cifras são reais e, em alguns casos, significativas. Durante muitos anos, o Produto Interno Bruto (PIB) cresceu de forma expressiva tanto na Bolívia como no Equador, e a pobreza caiu em ritmo ainda maior. Isso se deve especialmente ao aumento dos investimentos públicos, que permitiu vários programas sociais, em especial transferências de renda. Também se constatou uma redução do Índice de Gini, que mede a desigualdade social.

Esses avanços foram possíveis graças a um aumento da arrecadação estatal provocado pelo *boom* dos preços de matérias-primas e pela renegociação de contratos com empresas transnacionais. Na Bolívia, a nacionalização das reservas de petróleo e gás não significou um processo de estatização, mas um rearranjo na distribuição dos lucros. Em 2005, as empresas transnacionais tinham uma margem de 43%, e em 2013 reduziram seus ganhos para 22%. Isso significou um aumento de oito vezes nos rendimentos do Estado, de 673 milhões de dólares para 5,459 bilhões de dólares.

Não há dúvida de que houve uma melhora nas condições de vida para diversos setores da população, o que explica o apoio popular de que desfrutam ou desfrutaram os governos de Evo Morales e Rafael Correa. No entanto, estamos realmente caminhando rumo ao Bem Viver?

A desaceleração da economia chinesa fez cair os preços das commodities. Como consequência, as exportações de matérias-primas recuaram, as reservas internacionais declinaram e o endividamento externo começou sua trajetória de alta, marcando a crise econômica nos dois países. Fábricas que foram estatizadas fecharam as portas, como no caso da Enatex, na Bolívia. Tratados de livre-comércio antes duramente criticados passaram a ser sancionados pelo presidente Correa. Enquanto isso, Evo viajava a Nova York para atrair investidores estrangeiros. Por que estamos nessa situação? Simplesmente por fatores externos, ou por uma inconsequência com os princípios do Bem Viver?

Equador e Bolívia, a exemplo dos demais países da região, foram cativados pelo dinheiro fácil das exportações. Enquanto o discurso oficial dizia que o objetivo central era reduzir a dependência das vendas ao exterior, sair da condição de monoexportação, diversificar a economia, promover a industrialização, melhorar a produtividade e agregar valor à produção, a realidade é que hoje essas economias são ainda mais dependentes dos produtos primários.

Os governos progressistas queriam mostrar resultados imediatos, com obras e programas sociais, e a forma mais rápida de obter recursos foi o aprofundamento do caminho que tanto haviam criticado. Com a retórica do Bem Viver e, por vezes, anticapitalista, se promoveu um reforço da dependência das exportações, acompanhado por alguns mecanismos de redistribuição de renda que não mexeram na essência do sistema de acumulação capitalista. Grande parte das transnacionais e das oligarquias nacionais seguiram enriquecendo e se beneficiando desse extrativismo populista.

No caso equatoriano, como explica Acosta (2013),

> as principais atividades econômicas estão concentradas em poucas empresas: 81% do mercado de bebidas não alcoólicas está nas mãos de uma empresa; uma única empresa, igualmente, controla 62% do mercado de carne; cinco engenhos (com apenas três proprietários) controlam 91% do mercado de açúcar; duas empresas, 92% do mercado de óleo; duas empresas controlam 76% do mercado de produtos de higiene. Os lucros dos cem maiores grupos aumentaram 12% entre 2010 e 2011, e se aproximam da cifra astronômica de 36 bilhões de dólares. Nesse sentido, é necessário destacar que os lucros dos grupos econômicos entre 2007 e 2011 cresceram 50% mais que nos cinco anos anteriores, ou seja, durante o período neoliberal.

Na Bolívia, a situação é semelhante. Os lucros do sistema bancário, que em 2006 eram de 80 milhões de dólares, passaram a 283 milhões de dólares em 2014. Duas empresas transnacionais, Petrobras e Repsol, controlam três quartos da produção de gás natural do país. A grande maioria dos latifundiários não se viu afetada pelo governo Evo Morales. Ganharam impulso o saneamento e a titulação de terras, que favoreceram majoritariamente a indígenas e camponeses, mas o poder dos grandes proprietários não foi desmantelado. A soja transgênica, que representava 21% do total das exportações do grão em 2005, passou a 92% em 2012.

Na prática, o slogan "Queremos sócios, não patrões" serviu para rearticular uma nova aliança do Estado Plurinacional com as velhas oligarquias bolivianas. A estratégia do governo foi pactuar com os representantes econômicos da oposição e perseguir líderes políticos. Assim, uma cenoura econômica pendurada em uma varinha política levou muitos setores da burguesia a deixarem a oposição.

Quando a época das vacas gordas chegou ao fim, velhos e novos ricos, antes aliados, construíram suas próprias opções políticas. A fatia de arrecadação com as exportações diminuiu e os setores mais poderosos quiseram preservar tudo o que pudessem de seus lucros às custas do Estado e do restante da população. Disso decorreu o retorno do neoliberalismo pós-populista. Uma volta que não parte apenas de fora dos governos progressistas, mas também de dentro, quando esses governos começam a adotar critérios de eficiência e rentabilidade neoliberais, fechando fábricas e cortando programas sociais, em vez de atingir os setores mais poderosos.

A crise econômica fatalmente erode a popularidade. A direita, antes aliada, sabota por dentro e por fora, realizando ações golpistas como a que assistimos no Brasil contra a presidenta Dilma Rousseff, em 2016. Presenciamos o fim do ciclo de governos progressistas e também do extrativismo populista aplicado em nome do Bem Viver.

## 1.2.2. Os maus-tratos à natureza

Um dos pilares mais difundidos do Bem Viver é a harmonia entre seres humanos e com a natureza. No começo, os governos de Bolívia e Equador ganharam notoriedade por colocar ênfase no discurso da Mãe Terra. A Constituição equatoriana de 2008 reconheceu os direitos da natureza. A Bolívia conseguiu aprovar nas Nações Unidas, em 2009, o Dia Internacional da Mãe Terra e, em 2010, criou a Lei de Direitos da Mãe Terra.

Tudo indicava uma mudança na relação com a natureza. E havia inclusive propostas concretas, como a criação da Iniciativa Yasuní-ITT, no Equador, que postulava abandonar a extração petrolífera no Parque Nacional Yasuní — declarada reserva da biosfera pela Unesco — em troca de uma compensação econômica da comunidade internacional. No acordo, 856 milhões de barris de petróleo ficariam sob a terra em troca de 350 milhões de dólares anuais. Era a primeira vez que um país propunha romper com o extrativismo para preservar a natureza e reduzir a emissão de gases de efeito estufa. No entanto, Rafael Correa não conseguiu a compensação econômica esperada. Em 2013, deu por encerrada a iniciativa e anunciou o começo da exploração, sem permitir sequer que a população fosse consultada.

A Bolívia também suscitou grande otimismo quando o artigo 255 da Constituição assinalou a "proibição da importação, produção e comercialização de organismos geneticamente modificados". No entanto, em 2011 foi aprovada a Lei 144, que trata da Revolução Produtiva Comunitária Agropecuária, deixando de lado a proibição em troca da rotulagem de transgênicos. Como resultado, os rótulos não foram implementados e a produção de soja geneticamente modificada para exportação cresceu exponencialmente.

Igualmente, a proteção de parques e reservas nacionais foi posta de lado. O governo aprovou normas e projetos para explorações petrolíferas nessas zonas e tentou construir uma estrada no meio do Território Indígena e Parque Nacional Isiboro-Sécure (Tipnis), paralisada pela revolta dos povos indígenas da região e pela oposição popular. Quanto ao desmatamento, que fica entre 150 mil e 200 mil hectares anuais, voltados a beneficiar o agronegócio, a pecuária e a especulação fundiária, o governo projetou acabar com a derrubada ilegal apenas em 2020, contrariando os Objetivos do Desenvolvimento Sustentável das Nações Unidas. Vários projetos hidrelétricos, petrolíferos, de mineração e infraestrutura são aprovados e implementados sem os devidos estudos de impacto ambiental. O governo passou até mesmo a apoiar a energia nuclear, apesar de dispositivos contrários na Constituição e na Lei de Direitos da Mãe Terra.

Entre o discurso e a realidade, entre a lei e a prática, há um grande abismo. Não se pode citar nenhum exemplo na Bolívia em que os direitos da Mãe Terra tenham prevalecido sobre os interesses de extração, contaminação e depredação da natureza. A lei ficou no papel. Como diz Rafael Puente (2014), ex-prefeito de Cochabamba pelo Movimento ao Socialismo (MAS) de Evo Morales,

> no fundo parece que a linha é: denunciamos ao mundo inteiro os maus-tratos da Mãe Terra por parte dos países desenvolvidos, mas nos reservamos a necessidade de também maltratar a Mãe Terra por um tempo até que consigamos um nível mínimo de desenvolvimento.

Para o pesquisador uruguaio Eduardo Gudynas (2012), os governos progressistas "se sentem mais confortáveis com medidas como campanhas para abandonar o plástico ou substituir as lâmpadas, mas resistem a controles ambientais sobre investidores e exportadores". Ele conclui que os "presidentes sentem que o ambientalismo é um luxo a que podem se dar os mais ricos, e que por isso não é aplicável à América Latina enquanto não se supere a pobreza".

### 1.2.3. O enfraquecimento da comunidade e as organizações sociais

A essência do Bem Viver está no fortalecimento da comunidade, na produção da complementaridade em contraposição à concorrência e na busca do equilíbrio, em oposição ao crescimento desmedido. Como avançamos nesses aspectos? Hoje, as comunidades indígenas e as organizações sociais estão mais fortes? Melhor articuladas? Diferenças, hierarquias e privilégios retrocederam? A criatividade se multiplicou? E a capacidade propositiva e de recriação do imaginário alternativo?

Analisemos o caso boliviano, em que o processo de mudança contou desde o começo com fortes organizações indígenas e sociais. Todas enfraqueceram ao longo da última década, numa espécie de paradoxo. As comunidades indígenas e os movimentos receberam uma série de bens materiais, recursos e serviços que, em vez de fortalecê-los, levaram à debilidade e à fragmentação.

Antes do triunfo eleitoral do MAS, em 2005, as organizações sociais tiveram a capacidade de reverter ou frear projetos de privatização da água e do gás. Para além dessas conquistas, conseguiram aglutinar grande parte da população em torno da proposta de recuperação do território, da nacionalização dos recursos naturais e da redistribuição da riqueza. Em outras palavras, foram capazes de construir uma alternativa de sociedade perante o neoliberalismo. Esse dinamismo se perdeu. Entramos em uma fase de reivindicação setorial, na qual cada um demanda e se mobiliza tratando de conseguir o máximo que puder em termos de obras, recursos e vantagens tributárias.

Os bens entregues pelo governo a dirigentes de comunidades indígenas e de organizações sociais criaram uma lógica de clientelismo. Os movimentos deixaram de ser protagonistas da mudança para se converterem em clientes que pedem coisas ao governo. Ao invés de buscar o bem comum, cada um busca melhorar sua situação particular pela pressão sobre o Estado benfeitor. Já não se trata de mudar a Bolívia, mas de conseguir o melhor quinhão.

Interessante é que as comunidades indígenas resistiram por séculos à chamada "modernidade" dos conquistadores espanhóis e do capitalismo. Hoje, tornaram-se presas dessa tática graças às práticas e ao discurso de um governo indígena que diz que a meta é crescer 5% ao ano durante quinze anos. A modernidade do consumo e da eficiência passou a ser assimilada. Projetos antes rechaçados, como as megabarragens, ou que teriam sido impensáveis, como um centro nuclear, hoje são aceitos em nome da modernidade.

Em uma década, esse governo conseguiu o que a conquista, a república e o neoliberalismo tentaram por séculos: transformar o imaginário dos povos indígenas. Talvez por isso o último censo tenha captado um movimento muito significativo: apesar de todo o reconhecimento estatal e da proteção legal, caiu de 62% em 1990 para 41% em 2013 o índice de pessoas que se consideram indígenas.

Um exemplo emblemático é o Dakar Rally. A competição automobilística de alto risco é deplorável para qualquer atividade humanista, ambientalista e anticapitalista. O evento chegou à Bolívia em 2014 por atuação direta do presidente Evo Morales. Em 2017, o governo pagou 4 milhões de dólares aos organizadores da competição. Ironicamente, esse evento não poderia estar mais distante da realidade boliviana e do Bem Viver. Trata-se de uma prova na qual são necessários no mínimo 80 mil dólares para participar, e na qual os pilotos promovem as marcas de grandes empresas transnacionais. É uma espécie de circo romano da era decadente dos combustíveis fósseis, que tem como saldo a morte de competidores e espectadores em toda edição. Sua deterioração arqueológica e impacto ambiental são reais, em um espetáculo colonizante sobre a natureza e a consciência humana. Os questionamentos são tantos e os custos, tão altos, que Chile e Peru desistiram de participar. No entanto, o Dakar Rally sobrevive na América Latina graças ao apoio do governo indígena e plurinacional da Bolívia.

As autoridades justificam e louvam o rali dizendo que é um espetáculo que nos aproxima da modernidade, que cria um movimento econômico de 100 milhões de dólares e que serve para promover o turismo na Bolívia. Se o objetivo é realmente dar a conhecer o país, o governo pode promover outros tipos de eventos, baseados em nossas tradições culturais, como o Chasqui: um evento no qual se percorre a pé a Bolívia, como faziam os *chasquis* — mensageiros do império inca —, compartilhando experiências, conhecimentos de diferentes regiões e consciência ecológica, buscando a complementaridade entre saberes, incentivando a solidariedade e promovendo os valores do Bem Viver.

É incrível que não exista nenhuma discussão sobre isso no interior do governo e das organizações sociais. As vozes críticas são marginais, e não partem dos povos indígenas. Se algum dos governos neoliberais tivesse cogitado a ideia de trazer o Dakar Rally para a Bolívia, seguramente os movimentos teriam bloqueado as rotas usadas na competição.

As organizações sociais e indígenas também se enfraqueceram devido à corrupção. Ao haver mais recursos disponíveis e ao envolver os dirigentes na gestão direta dos fundos, vários se corromperam ou se tornaram cúmplices por omissão. As organizações que se opuseram a isso foram marginalizadas, desgastadas e divididas. A solidariedade indígena, antes cotidiana, se rompeu quando segmentos indígenas foram reprimidos e o restante dos movimentos ficou calado.

Em síntese, o Bem Viver esteve ausente e confinado aos discursos oficiais.

## 1.3. O Bem Viver é possível

Se o que presenciamos é a aplicação de um modelo de extrativismo populista em nome do Bem Viver, como poderia ter sido uma implementação prática mais respeitosa com esses princípios? Onde está o problema? Na inaplicabilidade do Bem Viver para além das comunidades indígenas? Na incompreensão? Na falta de maturidade da proposta?

Ao longo dessa década foram feitas várias tentativas concretas de implementação, mas quase todas de caráter parcial, setorial ou específico. Não houve uma proposta articulada, integral e coerente. O questionamento à aplicação contraditória ou à não implementação do Bem Viver não foi acompanhado de um conjunto holístico de ideias em diferentes níveis. Esquecemos de um de seus mais importantes aspectos: a totalidade e a integralidade.

### 1.3.1. Superar o estatismo

Um erro-chave consistiu em acreditar que o Bem Viver poderia ser plenamente desenvolvido pelo poder estatal, quando na realidade é uma proposta que se constrói na sociedade. A constitucionalização do Bem Viver aprofundou essa miragem e fez pensar que se poderia avançar através de um plano nacional estatal.

No caso boliviano, o vice-presidente Álvaro García Linera é a representação máxima dessa visão estatista, que é antipodal ao Bem Viver:

O Estado é o único que pode unir a sociedade. É o que assume a síntese da vontade geral e o que planifica o marco estratégico, é o primeiro vagão da locomotiva. O segundo é o investimento privado boliviano. O terceiro é o investimento estrangeiro. O quarto é a microempresa. O quinto, a economia camponesa. E o sexto, a economia indígena. Essa é a ordem estratégica na qual tem de se estruturar a economia do país. (Stefanoni, 2007)

A visão de um Estado todo-poderoso que olha por todos contraria o Bem Viver. É a sociedade que deve se autodeterminar para se contrapor à dinâmica perversa que todo poder estatal carrega.

No caso boliviano, sempre se falou de uma luta interna entre os desenvolvimentistas e os pachamamistas, entre os modernistas e os adeptos do Bem Viver. No entanto, é necessário admitir que o erro dos pachamamistas e partidários do Bem Viver é que também éramos profundamente estatistas. Acreditávamos que, em oposição ao neoliberalismo que havia desmontado o Estado, o fundamental era fortalecê-lo, desconhecendo a essência da lógica do poder.

Entre os pachamamistas e os desenvolvimentistas havia uma diferença sobre a orientação que deveria seguir esse fortalecimento. Para o vice-presidente da Bolívia, o objetivo fundamental era encaminhar nossas forças "à colocação em marcha de um novo modelo econômico que denominei, provisoriamente, 'capitalismo andino-amazônico'. Ou seja, a construção de um Estado forte, que regule a expansão da economia industrial, extraia seus excedentes e os transfira ao âmbito comunitário para potencializar as formas de auto-organização e desenvolvimento mercantil propriamente andino e amazônico" (García Linera, 2006).

A discussão em torno dessa proposta não colocou foco na concepção do Estado. Vivíamos os tempos da nacionalização dos hidrocarbonetos e tudo o que caminhava em direção ao fortalecimento estatal parecia correto. As diferenças estavam mais nos motivos pelos quais queríamos um Estado forte: construir o Bem Viver ou desenvolver uma nova fase de construção capitalista?

O papel do Estado em relação ao Bem Viver não pode nem deve ser o de organizador e planificador de toda a sociedade. Deve ser um fator que contribua para o empoderamento das comunidades e das organizações sociais por meio de práticas não clientelistas. Ou seja, em vez de dar a elas bens materiais, como veículos, sedes sindicais ou quadras esportivas, é necessário estimular que se informem, conheçam, analisem, debatam, questionem, construam políticas públicas e, em muitos casos, as executem, sem esperar pela luz verde do Estado. O *suma qamaña* e o *sumak kawsay* resistiram durante muitos séculos em luta contra os Estados inca, colonial, republicano, nacionalista e neoliberal. Eram visões e práticas comunitárias que se produziam apesar dos poderes estabelecidos, e não por eles. Ao se "estatizar", o Bem Viver começou a abandonar seu poder autogestionário e questionador.

A esquerda marxista normalmente tem como objetivo tomar o poder para mudar a sociedade: trata-se de capturar e transformar o Estado para mudá-la, de cima pra baixo. Em contraposição, a década e meia dos governos progressistas na América do Sul nos mostra que, para o Bem Viver, a tomada do poder deveria ter sido somente mais um passo para aprofundar o processo de emancipação e autodeterminação desde baixo, questionando e subvertendo todas as estruturas coloniais que persistem, inclusive nas novas formas estatais que surgem no processo de mudança.

## 1.3.2. Potencializar o local e o comunitário

Pensar em termos do todo exige deslocar a economia do centro da construção de uma nova sociedade. Assistimos nos últimos anos à obsessão dos governos do Bem Viver com o crescimento do PIB, que mede somente a parte da economia que é mercantilizada, ou seja, a produção de bens e serviços inseridos no mercado capitalista, com a destruição da natureza e dos seres humanos.

Os esforços deveriam estar orientados a promover a recuperação do equilíbrio em todos os níveis. Uma busca do equilíbrio entre diferentes setores da economia e a sociedade, o que não se dá sem atacar as causas estruturais da desigualdade.

A desigualdade atual, lacerante, não se resolve apenas com benefícios sociais e transferência de recursos aos setores mais pobres. A redistribuição não pode se limitar a pensar na fração de dinheiro que não foi apropriada pelos setores mais poderosos. A busca da igualdade entre os humanos não pode se reduzir a programas de assistência enquanto os latifundiários, as empresas extrativistas e os banqueiros continuam acumulando fortunas.

A experiência dessa última década na Bolívia mostra que as empresas transnacionais e as oligarquias, obrigadas pela pressão social, podem aceitar uma redistribuição de recursos para não perder todos os lucros. No entanto, quando a bonança das exportações chega ao fim, e afeta seus bolsos, promovem todo tipo de ações para desbancar os "progressistas" e aplicar as políticas neoliberais mais selvagens.

Não é possível modificar substancialmente a redistribuição da riqueza sem mexer no poder dos poderosos. O que se fez foi renegociar contratos com transnacionais, estatizar algumas empresas e tratar de ficar bem com o setor financeiro, o agronegócio e alguns segmentos empresariais, buscando atrair investimentos estrangeiros "justos".

Este modelo, que coloca em primeiro lugar o Estado, em segundo lugar o investimento privado nacional e em último lugar a economia indígena, fracassou. A "economia plural" foi um engano. Parecia que todos seriam reconhecidos e estariam em igualdade de condições, quando na verdade sobrevivia uma estrutura hierárquica e piramidal na qual o Estado aumentava substancialmente os investimentos enquanto o setor privado colhia lucros sem reinvestir, e os setores microempresarial, camponês e indígena ficavam relegados ao benefício de programas assistencialistas.

Para onde deveríamos olhar? Justamente para a economia camponesa, indígena e de pequenas empresas locais, como centro de um novo modelo econômico. Uma alternativa em que se promovesse de fato uma redistribuição da riqueza concentrada nas mãos de setores financeiros, extrativistas e agroindustriais. É fundamental redistribuir o latifúndio, regular mais efetivamente e estatizar gradualmente o setor financeiro privado, aproveitando de maneira mais eficiente os recursos do setor extrativista na promoção de projetos que nos permitissem sair desse extrativismo.

O verdadeiro potencial de países como a Bolívia está na agroecologia, no sistema agroflorestal, no fortalecimento da soberania alimentar a partir das comunidades indígenas e camponesas. O papel fundamental do Estado não é o de criar, de cima para baixo, empresas comunitárias, mas o de potencializar as redes de produção, intercâmbio, crédito, conhecimentos tradicionais e inovação a partir da perspectiva local. A prioridade não foi a de fortalecer o tecido social comunitário, mas de erguer obras chamativas e vistosas para mostrar impacto imediato. A produção ecológica, livre de transgênicos, ficou no discurso, enquanto na prática o consumo de agrotóxicos foi crescendo.

A promoção de megaprojetos de infraestrutura integra o modelo de desenvolvimento capitalista obsoleto. Em vez de buscar transitar por essa "modernidade", que inclusive começa a ser abandonada pelos próprios países do Norte, é necessário pular etapas e aproveitar os avanços da ciência em uma perspectiva comunitária, social e não privatista. Isso significa apostar na energia solar e eólica comunitária, familiar e municipal, para que os bolivianos passem de meros consumidores a produtores de eletricidade.

Práticas e saberes ancestrais devem se combinar com os avanços tecnológicos, sempre que contribuam para restabelecer o equilíbrio com a natureza e fortaleçam as comunidades. As energias renováveis não são, por si, uma solução para a crise sistêmica, já que também podem ser utilizadas para expulsar povos, monopolizar recursos e reconfigurar o capitalismo.

A experiência da última década mostra claramente que só se pode atingir uma economia plural com a superação do domínio do capital. Isso passa por tomar medidas efetivas contra o capital financeiro — coluna vertebral do capitalismo —, e não por mero discurso anticapitalista. Se não são tomadas medidas para desmontar o grande capital, os outros componentes da economia plural serão sempre marginais e relegados.

Colocar a produção local e comunitária no centro não significa deixar de lado empresas estatais e serviços públicos, quando essa for a melhor solução. São os casos do setor financeiro e dos serviços essenciais, como educação, saúde e telecomunicações, que devem ter um caráter universal. No entanto, é preciso contar com mecanismos efetivos de participação cidadã para evitar a burocratização e a corrupção, e para adequar-se à realidade local.

Sempre criticamos a máxima "exportar ou morrer", cunhada pelos governos neoliberais. Porém, os governos ditos progressistas caíram na mesma dinâmica, privilegiando a produção que traz dinheiro. Por isso, permitem ao agronegócio exportar soja transgênica ou aceitam um tratado de livre-comércio com a União Europeia para a comercialização de banana.

No marco do Bem Viver, o objetivo é criar mais resiliência nas economias locais e nacionais frente aos vaivéns e à crise econômica mundial. Tornar-se soberanos, fortalecendo as comunidades locais e os ecossistemas. Não estamos falando de deixar de exportar, mas de evitar que a economia gire em torno de um punhado de produtos.

Os acordos de livre-comércio têm uma lógica de colocar para competir, como se fossem iguais, países e empresas absolutamente desiguais. Os vencedores sempre serão as empresas transnacionais, o agronegócio e os setores poderosos do capital financeiro. As regras de livre-comércio da Organização Mundial do Comércio (OMC), os tratados de livre-comércio regionais e bilaterais sufocam a possibilidade de construção do Bem Viver porque privilegiam grandes corporações em detrimento do pequeno produtor.

A experiência nos mostra que não é suficiente rechaçar os tratados de livre-comércio. É preciso implementar medidas de controle do comércio exterior e do contrabando. Sem a aplicação desse tipo de medidas, a concorrência da grande produção e do mercado paralelo acabarão dinamitando as economias locais, comunitárias e nacionais, como estamos vendo.

A substituição de importações em nível nacional é impossível, pois as pequenas economias serão sempre mais dependentes dos produtos fabricados no exterior. Justamente por essa razão, é muito importante estabelecer uma regulação para que o dinheiro não seja direcionado a um consumismo dispendioso, e sim a elementos essenciais para o fortalecimento das economias locais.

Além de mecanismos de controle do comércio exterior, esse objetivo só é alcançável pela promoção efetiva de padrões culturais de consumo sustentável. Os governos progressistas até melhoraram a renda de setores da população, mas mantiveram as mesmas práticas de consumo e de desperdício das sociedades capitalistas.

### 1.3.3. Ser natureza

O lema "semear o petróleo", criado por Rafael Correa como promoção do extrativismo em prol da diversificação da economia, é uma miragem. Assim como não se pode superar o alcoolismo bebendo mais álcool, tampouco se pode superar o extrativismo promovendo mais exploração.

Nos países capitalistas dependentes, a luta contra o extrativismo é extremamente difícil pela articulação do capital e do poder. A extração é a via mais rápida para obter dólares, por sua vez essenciais para manter-se no poder. Assim, cria-se um vício perverso que debela os esforços de diversificação da economia e de construção do Bem Viver. Hoje, na Bolívia, todos são mais adictos à renda de petróleo e gás: governo central, governos regionais, os municípios, as universidades, as forças armadas, líderes indígenas e a população em geral.

Para romper com essa dependência é necessário, primeiro, reconhecer sua existência. No caso boliviano, se uma fração dos bilhões de dólares de fundos públicos investidos na exploração petrolífera fosse direcionada à energia solar e eólica comunitária, a demanda nacional seria coberta.

O mesmo se pode dizer do desmatamento: em vez de promover planos de reflorestamento extremamente caros, lentos e de resultados incertos, que jamais compensarão a riqueza e a biodiversidade das áreas nativas destruídas, o que se deveria fazer é aprender com as comunidades indígenas que convivem com a selva, promovendo iniciativas agroflorestais. É falso o argumento de que sem desmatamento não se pode garantir a segurança alimentar da população boliviana. Desde 2001, segundo dados oficiais, foram desmatados 8,6 milhões de hectares, ao passo que a superfície cultivada cresceu apenas 3,5 milhões, dos quais 1,9 milhão corresponde à agroindústria — fundamentalmente, à soja.

A razão pela qual os direitos da natureza ficaram só no papel é que os governos progressistas não querem limitações contra os projetos extrativistas. No entanto, os direitos da Mãe Terra demandam mecanismos autônomos e regulações capazes de frear e punir violações cometidas contra os ecossistemas, e sobretudo promover a reparação das áreas afetadas.

A nacionalização dos recursos naturais, como o petróleo, não é um aval para explorá-los até a última gota. A propriedade estatal de indústrias contaminantes e consumistas não as converte em empresas limpas e sustentáveis. A experiência também mostrou que não é suficiente nacionalizar os poços petrolíferos: é necessário transformá-los e substituí-los por outros meios de produção que permitam o crescimento de ecossociedades justas e equitativas.

Como diz o Acordo dos Povos, redigido e aprovado na primeira Conferência Mundial dos Povos sobre a Mudança Climática e os Direitos da Mãe Terra, em 2010, não se trata de superar apenas o capitalismo, mas também o produtivismo:

> A experiência soviética nos demonstrou que era possível, com outras relações de propriedade, um regime produtivo tão depredador e devastador das condições que tornam a vida

possível quanto o capitalismo. As alternativas têm de nos conduzir a uma profunda transformação civilizatória sem a qual não seria possível a continuidade da vida no planeta Terra. A humanidade está diante de uma grande bifurcação: continuar pelo caminho do capitalismo, do patriarcado, do progresso e da morte, ou empreender o caminho da harmonia com a natureza e o respeito à vida.

### 1.3.4. Plena diversidade cultural

Uma das grandes forças transformadoras dos governos progressistas é o reconhecimento da diversidade cultural. No caso boliviano, o conceito de Estado Plurinacional é uma conquista que, aplicada à realidade de outros países, pode ajudar na coexistência de diferentes nacionalidades e nações dentro de um mesmo território. Entre os avanços mais importantes estão o reconhecimento dos idiomas nativos, das autonomias indígenas e da justiça indígena originária, e a exigência de que os funcionários públicos falem duas línguas (o castelhano e o idioma originário).

Porém, muitos desses aspectos ficaram apenas na Constituição e nas leis. Na Bolívia, o reconhecimento dos municípios e territórios indígenas se caracterizou como uma corrida de obstáculos. Não houve uma política efetiva do governo central para incentivar e acelerar a constituição de autonomias indígenas, com autogoverno, democracia comunitária sem partidos políticos e com direito à consulta prévia sobre a exploração de recursos naturais.

O direito indígena foi reconhecido, mas relegado e restrito às comunidades, dando supremacia à justiça comum, e desconhecendo a grande contribuição que o conceito tradicional poderia oferecer para o estabelecimento de uma justiça mais ágil, gratuita, respeitosa com a natureza, e que busque a solução de conflitos por meio do consenso.

## 1.3.5. Despatriarcalização

Em termos constitucionais e legais houve importantes avanços quanto à equidade de gênero e à participação de mulheres em governos e no Legislativo. Há um conjunto de normas aprovadas sobre o direito das mulheres à terra, à igualdade de oportunidades, à amamentação, à saúde, à aposentadoria e à inamovibilidade laboral da mãe. Como resultado, a quantidade de mulheres parlamentares, ministras e integrantes governamentais da Bolívia está entre as maiores do mundo.

No entanto, o país está longe da despatriarcalização e, contraditoriamente, reforçou-se uma série de práticas e imaginários machistas a partir de expressões, "piadas" e valores que são difundidos pelo núcleo central do governo, formado essencialmente por homens.

O patriarcado assentado nas estruturas familiares, comunitárias e estatais sobrevive e se reproduz de múltiplas formas, que às vezes passam despercebidas. As "brincadeiras" e os comentários machistas de autoridades não são respondidos por ministras e parlamentares. Pelo contrário, às vezes são justificados. A maior presença de mulheres nos cargos políticos não se traduziu em ações que apontem à desestruturação das relações de poder que reproduzem a subordinação e a opressão. Os estereótipos discriminatórios e os padrões culturais sobrevivem e são alimentados pela conduta dos "machões" mais poderosos.

O modelo de produção e redistribuição da riqueza em detrimento das mulheres, o papel de homens e mulheres no trabalho doméstico, a separação entre vida pública e privada não se viram afetados. O exercício da autonomia das mulheres sobre os próprios corpos e o direito a decidir sobre questões de aborto permanecem limitados, e a violência de gênero e o feminicídio seguem sendo realidade cotidiana.

Na concepção originária, o Bem Viver não enfatizava a despatriarcalização da família, da sociedade e do Estado. No entanto, fica claro que esse é um componente essencial para avançar a uma sociedade de equilíbrio entre os humanos e com a natureza.

### 1.3.6. Democracia real

O Bem Viver propõe respeito, equilíbrio e complementaridade entre as diferentes partes do todo. No entanto, o que vimos nos governos progressistas foi uma tentativa do Executivo de supervisionar e controlar os outros poderes. A derrota das expressões mais recalcitrantes da direita neoliberal não se traduziu no relançamento de uma democracia vigorosa na qual os parlamentares propõem, fiscalizam e adotam normas. Na prática, trocamos a democracia neoliberal por uma democracia de paus mandados que só seguem as instruções do governo.

No caso boliviano, o Executivo criou uma série de artimanhas para controlar as estruturas principais do Judiciário, fazendo com que propostas tão inovadoras como a eleição de magistrados sejam desvalorizadas. Além disso, a participação e o controle social previstos na Constituição ficaram na teoria.

Sem democracia real e efetiva não é possível avançar na autogestão, na autodeterminação e no empoderamento das comunidades e organizações sociais, um passo fundamental para o Bem Viver. Em sua essência, o exercício da democracia pressupõe limitar o poder dos poderosos e do próprio Estado. Se o governo instrumentaliza a participação popular, coopta as organizações sociais e controla os outros poderes, fica inviável a construção da democracia. Todo governo e todo povo cometem erros na construção de uma nova ecossociedade e, portanto, a única forma de detectá-los e contê-los é a participação de todos.

### 1.3.7. Complementaridade internacional

A experiência desta década nos mostra claramente que o Bem Viver não é possível se restrito a um único país ilhado em uma economia mundial capitalista, produtivista, patriarcal e antropocêntrica. Seu elemento-chave, na verdade, é a articulação com processos semelhantes em outras nações.

Esse processo não pode ser limitado à promoção de projetos de integração que não sigam as regras do livre-comércio ou à mera aliança de Estados e governos. Nesse contexto, uma das grandes falhas da última década foi não desenvolver alianças de movimentos sociais e indígenas independentes dos governos progressistas. Olhando para trás, o movimento antiglobalização na América Latina enfraqueceu-se, ao invés de se fortalecer, porque não foi capaz de articular uma visão de mudança própria e autônoma. Confundiu suas utopias com os cálculos políticos governamentais e perdeu a capacidade de criticar e sonhar.

Para florescer, os processos de transformação social precisam expandir-se além das fronteiras nacionais e chegar aos países que hoje colonizam o planeta de diferentes maneiras. Sem essa irradiação até os centros nevrálgicos do poder mundial, os processos de mudança acabam isolando-se e perdendo vigor, até que renegam os princípios e os valores que lhes deram origem.

O futuro do Bem Viver depende da recuperação, da reconstrução e do empoderamento de outras visões que, com diferentes ênfases, apontam ao mesmo objetivo de qualquer lugar do planeta. Em nível global, sua realização só será possível na complementaridade e na retroalimentação com outras alternativas sistêmicas.

# Referências bibliográficas

ACOSTA, Alberto. "El Buen Vivir en el camino del post-desarrollo: una lectura desde la Constitución de Montecristi". Policy Paper 9. Quito: FES-ILDIS, 2010. Disponível em <https://www.fuhem.es/media/cdv/file/biblioteca/Analisis/Buen_vivir/Buen_vivir_posdesarrollo_A._Acosta.pdf>.

_____. "Ecuador: la 'revolución ciudadana', el modelo extractivista y las izquierdas críticas", *Viento Sur*, 2 dez. 2013. Disponível em <http://www.rebelion.org/noticia.php?id=163177>.

ACUERDO DE LOS PUEBLOS. *Conclusiones del grupo 1 y 2 de la CMPCC y los derechos de la Madre Tierra*. Cochabamba: CMPCC, 2010.

ALBÓ, Xavier. "Suma qamaña = convivir bien. ¿Cómo medirlo?", em *Vivir Bien: ¿paradigma no-capitalista?*. La Paz: CIDES-UMSA, 2011.

BAUTISTA, Rafael. *Hacia una constitución del sentido significativo del 'vivir bien'*. La Paz: Rincón, 2010.

BLASER, Mario. *Storytelling Globalization from the Chaco and Beyond*. Durham: Duke University Press, 2010.

BOLÍVIA. *Bolivia: una mirada a los logros más importantes del modelo económico*. La Paz: Ministério de Economia e Finanças Públicas, 2014.

DÁVALOS, Pablo. "Reflexiones sobre el sumak kawsay (el buen vivir) y las teorías del desarrollo", em *Alai*, 5 ago. 2008. Disponível em <https://www.alainet.org/es/active/25617>.

ESCOBAR, Arturo. "Imagining a Post-Development Era? Critical Thought, Development and Social Movements", em *Social Text*, n. 31/32, 1992, p. 20-56.

ESTERMANN, Josef. "Crecimiento cancerígeno *versus* el Vivir Bien", 2012.

_____. "Crisis civilizatoria y Vivir Bien", em *POLIS*, 2012.

GARCÍA LINERA, Álvaro. "El 'capitalismo andino-amazónico'", em *Le Monde diplomatique — Edición chilena*, jan. 2006. Disponível em <https://www.lemondediplomatique.cl/El-capitalismo-andino-amazonico.html>.

GUDYNAS, Eduardo. "Buen Vivir: Germinando alternativas al desarrollo", em *Alai*, fev. 2011a. Disponível em <https://www.alainet.org/es/active/48052>.

\_\_\_\_\_. "Buen Vivir: Today's Tomorrow", em *Development*, v. 54, n. 4, pp. 441-7, dez. 2011b.

\_\_\_\_\_. "Tensiones, contradicciones y oportunidades de la dimensión ambiental del Buen Vivir", em *Vivir Bien: ¿paradigma no-capitalista?*. La Paz: CIDES-UMSA, 2011c.

\_\_\_\_\_. "La izquierda marrón", em *Alai*, 2 mar. 2012. Disponível em <http://www.alainet.org/es/active/53106>.

GUDYNAS, Eduardo & ACOSTA, Alberto. "A renovação da crítica ao desenvolvimento e o Bem Viver como alternativa", em *Instituto Humanitas Unisinos*, 29 mar. 2012. Disponível em <http://www.ihu.unisinos.br/172-noticias/noticias-2012/507956-a-renovacao-da-critica-ao-desenvolvimento-e-o-bem-viver-como-alternativa>.

\_\_\_\_\_. "La Renovación de la crítica al desarrollo y el buen vivir como alternativa", *Revista Internacional de Filosofía Iberoamericana y Teoría Social, Utopía y Praxis Latinoamericana*, a. 16, n. 53, abr.-jun., 2011, pp 71-83.

IBÁÑEZ, Alfonso. "Un acercamiento al Buen vivir", em *Contextualizaciones Latinoamericanas*, a. 3, n. 5, jul.-dez. 2011. Disponível em <http://www.contextualizacioneslatinoamericanas.com.mx/pdf/Un%20acercamiento%20al%20buen%20vivir_5.pdf>.

LATOUCHE, Serge. *Pequeño tratado del decrecimiento sereno*. Barcelona: Icaria, 2009.

MAMANI RAMÍREZ, Pablo. "Qamir qamaña: dureza de 'estar estando' y dulzura de 'ser siendo'", em *Vivir Bien: ¿paradigma no-capitalista?*. La Paz: CIDES-UMSA, 2011.

MARTÍNEZ-ALIER, et al. "Sustainable De-growth: Mapping the context, criticisms and future prospects of an emergent paradigma", em *Ecological Economics*, v. 69, n. 9, 15 jul. 2010, p. 1741-7.

MEDINA, Javier. "Acerca del Suma Qamaña", em *Vivir Bien: ¿paradigma no-capitalista?*. La Paz: CIDES-UMSA, 2011.

NAESS, Arne. *Ecology, Community and Lifestyle*. Cambridge: Cambridge University Press, 1989.

\_\_\_\_\_. "The Shallow and the Deep, Long-Range Ecology Movement", em *Inquiry*, v. 16, n. 1-4, pp. 95-100, 1973.

PETRAS, James. "El capitalismo extractivo y las diferencias en el bando latinoamericano progressista", em *Rebelión*, 8 mai. 2012. Disponível em <http://www.rebelion.org/noticia.php?id=149207>.

PRADA ALCOREZA, Raúl. "Matricidio del Estado patriarcal. Evaluación de la ley marco de la madre tierra y desarrollo integral para vivir bien", em *Systemic Alternatives*, 25 jul. 2013. Disponível em <https://systemicalternatives.org/2014/06/19/matricidio-del-estado-patriarcal/>.

PUENTE, Rafael. "Vivir Bien y descolonización", em *Vivir Bien: ¿paradigma no-capitalista?*. La Paz: CIDES-UMSA, 2011.

_____. "La defensa de la Madre Tierra se redujo a mero discurso", em *Página Siete*, 22 jan. 2014. Disponível em <https://www.paginasiete.bo/nacional/2014/1/22/defensa-madre-tierra-redujo-mero-discurso-12063.html>.

QUIJANO, Aníbal. "Coloniality of Power, Eurocentrism, and Latin America", em *Nepantla*, v. 1, n. 3, pp. 519-32, 2010.

RAMÍREZ GALLEGOS, René. "Socialismo del sumak kawsay o biosocialismo republicano", em *Los nuevos retos de América Latina: socialismo y sumak kawsay*. Quito: Senplades, 2010.

RIVERA CUSICANQUI, Silvia. "Pachakuti: los horizontes históricos del colonialismo interno", em *Violencias (re) encubiertas en Bolivia*. La Paz: Piedra Rota & Mirada Salvaje, 2010, pp 39-63. Disponível em <http://www.ceapedi.com.ar/imagenes/biblioteca/libreria/295.pdf>.

SAUNDERS, Kriemild. *Feminist Post-Development Though*. London: Zed Books, 2002.

STEFANONI, Pablo. "'Indianisation' du nationalisme ou refondation permanente de la Bolivie", em *Alternatives Sud*, v. 16, n. 3, pp. 27-44, 2009.

_____. "Siete preguntas y siete respuestas sobre la Bolivia de Evo Morales", em *Nueva Sociedad*, mai-jun. 2007. Disponível em <http://nuso.org/articulo/siete-preguntas-y-siete-respuestas-sobre-la-bolivia-de--evo-morales/>.

VILLANUEVA, Arturo. "¿Quo vadis socialismo comunitario para vivir bien?", em *Rebelión*, 29 nov. 2012. Disponível em <http://www.rebelion.org/noticia.php?id=159941>.

WALSH, Catherine. "Development as Buen Vivir: Institutional arrangements and (de)colonial entanglements", em *Development*, v. 53, n. 1, pp. 15-21, 2010.

YAMPARA, Simón. "Viaje del Jaqi a la Qamaña, el hombre en el Vivir Bien", em *La comprensión indígena de la Buena Vida*. La Paz: GTZ & FAMB, 2001.

## 2. Decrescimento

Geneviève Azam

O paradigma do crescimento tem sido central nas representações de mundo e nas políticas econômicas desenvolvidas desde 1945. Ficou para trás, no entanto, o crescimento econômico regular, contínuo e autossuficiente, que chegou ao auge nos "trinta anos gloriosos" que compreenderam o fim da Segunda Guerra Mundial, em 1945, e a crise do petróleo, em 1973.

A expansão econômica, que foi a condição do progresso social e do desenvolvimento nesse período, já não resiste a uma análise crítica. Esse crescimento, que de fato se concretizou nos países industrializados "desenvolvidos", envolveu uma minoria da população mundial, construiu-se sobre o desperdício e a espoliação insensata dos recursos naturais limitados, o acesso a energias fósseis baratas, a dependência de tecnologias assassinas e a fabricação de desigualdades e desequilíbrios mundiais que se revelaram insuportáveis e insustentáveis.

Esse objetivo do "desenvolvimento" parou em pé enquanto criou a ilusão da possibilidade de "recuperação" dos países "subdesenvolvidos" ou "em desenvolvimento". O desenvolvimento e o crescimento se converteram na norma global para qualquer tipo de modelo, socialista ou capitalista. Como regra, o crescimento engendrou uma série de disparidades que tornaram necessário um novo crescimento.

Quando ficou claro que os limites geofísicos poderiam frear esse processo, postulou-se o desenvolvimento durável ou sustentável. O Relatório Brundtland, de 1987, também chamado de *Nosso futuro comum*, propunha um crescimento "limpo", que deveria assegurar conjuntamente a sustentabilidade ecológica, o desenvolvimento e a justiça social. A Conferência das Nações Unidas sobre o Meio Ambiente e o Desenvolvimento, também conhecida como Eco-92, realizada no Rio de Janeiro em 1992, fez dessa proposta sua coluna vertebral. No entanto, a explosão das desigualdades e a superação dos limites ecológicos tornaram obsoletas quaisquer esperanças de desenvolvimento sustentável.

Ao serem impostas em todo o mundo, as diretrizes neoliberais enterraram as políticas anteriores de desenvolvimento, profundamente marcadas pela intervenção estatal. Com a globalização econômica e financeira, é a integração dos mercados mundiais que deve se incumbir do desenvolvimento por meio de um endividamento massivo e do aumento do serviço da dívida, que obriga ao crescimento como forma de assegurar o pagamento. Já não se trata de equilibrar os três pilares do desenvolvimento sustentável, mas de confiar ao mercado o cuidado da sociedade. A economia verde e o crescimento verde substituem os objetivos do desenvolvimento sustentável, administrando os recursos com excelência e incorporando a natureza ao grande ciclo de produção, fabricação e valorização do mercado.

Mesmo com tudo isso, o crescimento econômico não foi alcançado. Para as velhas nações industriais, o crescimento deve ser estimulado pela demanda dos emergentes, que, é certo, progrediram a taxas astronômicas nos anos 2000 ao adotar os mesmos modelos econômicos de seus irmãos maiores. Vimos um produtivismo desenfreado e uma aceleração industrial sem precedentes. O caso do Brasil é emblemático: depois de ter conhecido uma ascensão vertiginosa na atividade econômica e de haver promovido políticas sociais com base no crescimento, o processo freou bruscamente e o país mergulhou numa grave crise social e política. Mais uma vez, o crescimento força a um novo crescimento para apaziguar as frustrações das promessas difíceis ou impossíveis de cumprir.

No bojo de sociedades fundadas sobre o crescimento, a paralisia deste significa recessões econômicas insustentáveis, com a explosão da miséria, o agravamento de políticas produtivistas e extrativistas, e abalos democráticos. Os enfoques críticos expõem que o progresso social, a prosperidade e o Bem Viver são possíveis sem crescimento econômico. Supõem, para isso, uma bifurcação rumo a sociedades de pós-crescimento ou decrescimento.

## 2.1. As origens do debate sobre o crescimento

Foi entre o final da década de 1960 e o início da década de 1970 que assistimos ao início da discussão pública sobre o crescimento. Poderíamos mencionar o relatório de Dennis Meadows, do Massachusetts Institute of Technology (MIT), em 1972. Este documento questionava os fundamentos da sociedade industrial com base nos limites biofísicos do planeta e o aumento exponencial da população. A proposta era de crescimento zero. Por razões metodológicas e políticas, esse estudo foi muito controverso aos olhos de pesquisadores de direita, de esquerda e do chamado "terceiro mundo", que o perceberam como um produto dos países dominantes buscando sacramentar as desigualdades para preservar aos ricos o acesso aos recursos. Foi também encarado como um ressurgimento das teorias malthusianas.

O mérito desse relatório reside em recordar que o crescimento depende da extração de matérias-primas não renováveis. Depois de duas novas edições, em 1992 e em 2004, Meadows escreveu em 2012 que frear o sistema com uma política de crescimento zero já não era possível, pois nossa pegada ecológica ultrapassou os limites sustentáveis. Por isso, na visão dele, seria necessário decrescer.

No mesmo período, enquanto surgiam sonhos de colonização de novos planetas, a Conferência das Nações Unidas sobre o Meio Ambiente Humano, realizada em Estocolmo em 1972, lançou o slogan "Temos apenas um planeta".

Em simultâneo, o economista romeno Nicholas Georgescu-Roegen (1971) mostrou como a termodinâmica e as leis dos seres vivos são inseparáveis da economia e das sociedades. O crescimento econômico é insustentável pela simples irreversibilidade da transformação de energia em matéria. A economia é um subsistema da biosfera, ou seja, uma bioeconomia. Mesmo com a reciclagem, nenhum processo técnico permitirá a eliminação total dos aspectos entrópicos da extração de recursos e da transformação enquanto as sociedades industriais absorverem quantidades gigantescas de energia contaminante e não renovável.

Georgescu-Roegen ficou marginalizado do mundo do pensamento econômico. Seu discípulo mais conhecido, Herman Daly, que fundou a corrente da economia ecológica, pregava uma economia estável, o que era rechaçado pelo romeno, que defendia a contração econômica como necessária à retomada da biocapacidade do planeta (Daly, 1997).

A abordagem bioeconômica de Georgescu-Roegen, que subordina a economia aos limites geofísicos e à distribuição equitativa dos recursos, implica transformações profundas dos sistemas econômicos e dos valores que os sustentam. A proposta tem pouco a ver com a bioeconomia agora defendida por instituições internacionais, como a Organização para a Cooperação e o Desenvolvimento Econômico (OCDE) e a Comissão Europeia, e que não passa de um avatar do desenvolvimento sustentável. Os conceitos de eficácia, desvinculação e economia circular fabricam uma ficção sobre um crescimento limpo, que reciclaria todos seus dejetos e otimizaria a produção e o consumo de energia.

Outra fonte de inspiração para o decrescimento foi a crítica da "ajuda para o desenvolvimento", teorizada pelo presidente dos Estados Unidos, Harry Truman, em 1949, e o desenvolvimento como "crença ocidental" ou como projeto de "ocidentalização do mundo", nas palavras de Serge Latouche (1989). Essas reflexões foram alimentadas pela obra de Ivan Illich, e mais tarde de André Gorz e Cornelius Castoriadis. Em síntese, conduziam a impugnar a heteronomia das sociedades industriais, que deram lugar central às máquinas, e a rejeitar o consumismo e suas bases imaginárias.

Esse debate se revigorou a partir dos anos 2000, graças aos efeitos da globalização e da aceleração da catástrofe ecológica. A abundância, a prosperidade e a paz prometidas pelo desenvolvimento se converteram em um pesadelo: persistência e agravamento da pobreza e das desigualdades, esgotamento de recursos naturais, aquecimento climático, redução da biodiversidade, o mal viver, sucessão acelerada de catástrofes ecológicas e acidentes industriais. A ideologia do crescimento está fraturada pela presença viva de sinais que se afastam das esperanças e se aproximam das ameaças. Um exemplo revelador é o aquecimento global, provocado pelo aumento das emissões de gases de efeito estufa vinculados à expansão da produção por meio de energias fósseis.

O termo "decrescimento" é, aliás, uma provocação e uma blasfêmia. É uma expressão que interpela a consciência do mundo dominado pelo culto ao crescimento pelo crescimento, ou seja, à busca do lucro pelo lucro. Uma das limitações do conceito é que pode ser entendido como a aspiração a uma perda dos ganhos, e nesse sentido coloca sobre a mesa questões civilizatórias. É por isso que alguns dos críticos do crescimento preferem usar os termos pós-crescimento, a-crescimento, ou, como dizia Illich, "desacostumar-se ao crescimento".

O decrescimento não é o inverso do crescimento, ou um crescimento negativo, e não é um conceito econômico, ainda que se refira e provenha de estudos econômicos. Significa, simultaneamente:

- A redução do consumo dos recursos naturais e da energia para responder às restrições biofísicas e à capacidade de renovação dos ecossistemas. Implica a saída de um ciclo produtivista;

- A invenção de um novo imaginário político e social oposto àquele que subjaz na ideologia do crescimento e do desenvolvimento;
- Um movimento social, plural e diverso, no qual convergem diferentes correntes, experiências e estratégias que buscam a construção de sociedades autônomas e frugais (simples e moderadas). O decrescimento não é uma alternativa em si, mas uma matriz de alternativas;
- Caminhos diversos para sair do crescimento e rejeitar o excesso; e
- Um movimento que retoma a questão política e democrática: "como queremos viver juntos com a natureza?", em lugar de: "como podemos crescer?".

## 2.2. Saída de uma economia do crescimento

O que os economistas chamam de crescimento é a evolução da medida quantitativa de produção, calculada pelo PIB. Em outros termos, o crescimento é o processo de acumulação de capital e de riqueza. Na história do capitalismo, esse processo é contínuo, com variações segundo os períodos e as zonas geográficas. O crescimento pode ser lento, como foi durante o século XIX e como é nas antigas nações industriais desde os anos 1980. O episódio dos "trinta anos gloriosos" do pós-guerra é geralmente citado como exemplo de um crescimento forte e equilibrado que permitiu ao mesmo tempo o progresso social. Esse período, longe de ser um modelo, é uma exceção. Foi possível graças ao acesso a recursos naturais baratos dos países do Sul global, a uma tensão ecológica muito forte e à racionalização e à desqualificação massiva do trabalho. De outro lado, direitos sociais e econômicos foram outorgados como resposta ao bloco comunista e a reivindicações da população.

O conflito social parecia reduzido a uma divisão da riqueza produzida e foi assimilado a uma espécie de compromisso keynesiano. John Maynard Keynes, em um excelente texto de 1930, "Possibilidades econômicas para nossos netos", escreveu:

> Chegará o tempo em que a humanidade aprenderá a consagrar sua energia em objetivos diferentes dos econômicos. [...] O amor do dinheiro como objeto de posse — diferente do amor do dinheiro como meio para saborear os prazeres e as realidades da vida — será reconhecido por aquilo que é, uma paixão mórbida e repugnante, uma inclinação metade criminosa, metade patológica, cujo cuidado é confiado aos especialistas em doenças mentais.

O crescimento global não apenas mobiliza o trabalho e o capital. Também demanda energia e recursos naturais. Esses recursos são limitados e não podem ser substituídos pelo capital tecnológico, ao contrário da hipótese proposta pelos modelos econômicos neoclássicos, que reduzem a natureza à forma de capital substituível. A globalização econômica acelerou a mercantilização dos recursos naturais e da vida. Portanto, a economia capitalista só pode crescer de maneira infinita se afetar de forma irreversível os meios socioambientais e concentrar em minorias a riqueza produzida.

A questão sobre os limites externos a esse modelo econômico não diz respeito apenas ao capitalismo, pois todo sistema de produção e consumo é um subsistema da biosfera. É por isso que, quando falamos de decrescimento, não estamos falando apenas de um crescimento negativo, ou de um crescimento zero: o decrescimento não é uma adaptação às flutuações econômicas, uma recessão; é uma escolha política que conduz à redução voluntária e antecipada da utilização da energia e dos recursos, à redefinição das necessidades e à escolha da "abundância frugal". O "decrescimento sustentável" se antecipa à recessão forçada que, em uma sociedade fundada sobre a expansão, conduz a desastres sociais, ecológicos e políticos.

No capitalismo, a diminuição da pressão sobre os recursos finitos pode ser obtida em nível microeconômico e microssetorial graças à utilização de novas tecnologias que aumentam a eficácia técnica e econômica. Mas, em nível global macroeconômico, se não colocamos em questão os princípios do crescimento e da acumulação, o aumento da eficiência no uso de um recurso tem mais chances de provocar um crescimento do consumo desse recurso do que uma redução. O incremento da eficiência energética dos automóveis, por exemplo, resultou num aumento da potência e na expansão do volume global de produção. É um efeito rebote, visto e explicado já no século XIX pelo economista William Stanley Jevons.

É por isso que o crescimento "verde" não é uma solução, mas um caminho para perpetuar o crescimento e a acumulação do capital. É a mesma ilusão que alimentou a esperança de um descolamento entre o crescimento e as emissões de gases de efeito estufa. Esses modelos econômicos acreditam que os progressos na eficiência energética, possíveis graças ao crescimento, levariam a uma redução nas emissões. Os organismos internacionais dizem que o crescimento é a solução, sem levar em conta que é, na verdade, o problema.

O mesmo se aplica para o crescimento "imaterial" que se encontraria nos serviços e em uma "economia do conhecimento", o capitalismo cognitivo. Esperar a chegada de uma economia do crescimento desmaterializado é ignorar a base supermaterial de muitos serviços. A produção de um computador ou de chips eletrônicos consome materiais, energia e uma grande quantidade de água.

Nos países industriais, como dissemos, os "trinta anos gloriosos" foram possíveis graças à extração de recursos baratos nas nações dominadas e colonizadas. Os países do Sul, que hoje assistem a um relativo crescimento, verão esse ciclo encerrar-se muito mais rápido, já que enfrentam uma explosão da demanda de recursos naturais e se veem obrigados, no geral, a extrair esses recursos no próprio território.

Desse modo, o tema do decrescimento dá continuidade aos trabalhos de Georgescu-Roegen, responsável pela reinserção da economia na biosfera e pela incorporação da lei da entropia nas análises econômicas. Outros autores (Gadrey, 2010; Heinberg, 2011; Dietz & O'Neill, 2013) deram sequência aos estudos e elaboraram uma nova macroeconomia sem crescimento, com uma ideia inovadora de progresso. Ainda assim, aplicado às alternativas econômicas, o decrescimento resiste como uma forte crítica ao economicismo.

## 2.3. Saída de uma sociedade do crescimento

O crescimento é uma visão da sociedade e dos seres humanos. Uma representação que faz do "progresso" uma norma histórica para todas as sociedades. O crescimento converteu-se em um objetivo político, uma virtude cívica e obrigatória, a via para realizar uma sociedade livre e justa, o caminho para a democracia. Essa ideologia reduz a sociedade a uma massa de trabalhadores e consumidores, privados de dimensão política. Os conflitos sociais são reduzidos a tensões pela divisão de riquezas, independente do conteúdo e da forma.

O neoliberalismo acelerou esse processo em escala mundial. Podemos analisar as políticas dos anos 1980 como uma reação à desaceleração do crescimento nos países industriais durante a década anterior. O livre-comércio e a financeirização das sociedades foram o braço armado da busca desesperada por novas fontes de crescimento.

Todas as tendências de tradição socialdemocrata têm o crescimento como condição para a justiça social. Acreditam em crescer o bolo para reparti-lo, sem se preocupar com a receita e os ingredientes. Essa visão reduz a política à dimensão da gestão. No entanto, a justiça social não pode ser confinada a um crescimento redistribuído. Tal conquista só é possível pelo reconhecimento da dignidade por igual para todos os humanos, e é inseparável da preservação das condições materiais dessa dignidade. É precisamente essa ilusão de um crescimento econômico ressurgido dos tratados de livre-comércio e da concorrência que converteu grande parte da socialdemocracia em políticas neoliberais.

Por essa razão, o decrescimento vai além de uma

noção econômica, abarcando o conjunto da sociedade, suas representações e seus valores. Esse conceito questiona a noção ocidental de progresso e a imposição universal dessa visão. Busca a desglobalização, a redistribuição de riquezas, a recuperação do sentido de trabalho, as tecnologias amigáveis, a desaceleração e o poder das comunidades de base.

É a expressão de várias correntes do pensamento crítico: crítica do mercado e da globalização, da técnica e da tecnociência, do antropocentrismo e da racionalidade instrumental, do homo economicus e do utilitarismo, do excesso. O decrescimento se encarna nos movimentos sociais que rejeitam a aceleração, a globalização econômica e financeira, a extração massiva de recursos, a exploração energética, a publicidade e o consumismo, a injustiça social e ambiental.

Desde 2008, várias conferências internacionais preconizaram o movimento pelo decrescimento, culminando com o encontro de Leipzig,[3] na Alemanha, em 2014, com mais de três mil participantes, e depois com o evento em Budapeste.

---

3 A IV Conferência Internacional de Decrescimento pela Sustentabilidade Ecológica e Igualdade Social foi realizada em Leipzig, Alemanha, de 2 a 6 de setembro de 2014. A proposta do evento foi reunir ativistas e especialistas para discutir a relação entre migração, crise ecológica e desenvolvimento autônomo, à luz dos conceitos de decrescimento, pós-desenvolvimento e pós-colonialismo. [N.E.]

## 2.4. Imaginário de desenvolvimento

O desenvolvimento acabou intrinsecamente vinculado ao crescimento econômico. Seria uma espécie de "bom crescimento", capaz de combinar o quantitativo e o qualitativo. As primeiras críticas a essa concepção ocidental de desenvolvimento surgiram nos anos 1980, especialmente com os trabalhos de Arturo Escobar, Wolfgang Sachs, Serge Latouche, Gilbert Rist, André Gorz e Majid Rahmena, todos influenciados por Ivan Illich.

O desenvolvimento sustentável foi posteriormente compreendido como um oximoro, uma contradição em si. As teses pós-desenvolvimentistas alimentaram diversas correntes do decrescimento e se chocaram com as correntes desenvolvimentistas, especialmente nos países do Sul, onde foram defendidas e utilizadas por forças progressistas que, conformes à tradição marxista, enxergaram no desenvolvimento das forças produtivas a construção da infraestrutura necessária à emancipação. Com base nisso é que os primeiros alertas sobre o crescimento, nos anos 1970, foram fortemente criticados.

No entanto, também nas sociedades do Sul global a fé no crescimento se viu afetada. A crítica ao crescimento e ao progresso foi, durante muito tempo, tida como essencialmente interna à sociedade ocidental e começou muito antes dos "trinta anos gloriosos", com pensadores como Walter Benjamin, Hannah Arendt, Günther Anders, Jacques Ellul, a Escola de Frankfurt etc. Essas críticas se expressaram igualmente e de maneira visível nos países do Sul, que ainda são tidos como aspirantes ao crescimento. Principalmente na esquerda, as críticas ao crescimento são interpretadas como uma negação de humanidade. Em outras palavras, o crescimento seria uma condição de vida moral e permitiria às populações mais pobres superar a situação infra-humana em que se encontram. A desumanização e a descivilização das sociedades ocidentais jogam por terra esses argumentos.

Nos países do Sul, a crítica do crescimento aspira a um pós-desenvolvimento. É esse o objetivo de pesquisadores e ativistas latino-americanos como o equatoriano Alberto Acosta, o uruguaio Eduardo Gudynas, a argentina Maristella Svampa, o venezuelano Edgardo Lander e outros pensadores cujos textos estão reunidos no livro *Descolonizar o imaginário*.[4] Em outros continentes, os indianos Vandana Shiva e Arundhati Roy e o senegalês Emmanuel N'Dionne, entre muitos outros, conduzem há décadas uma crítica à ocidentalização do mundo.

No entanto, a convocação ao decrescimento realmente não pode ter sentido e transformar-se em políticas públicas no Sul enquanto não se iniciar o processo nos países industrializados, com uma redistribuição da riqueza que proporcione um novo horizonte. Somente assim a grande frase de Mahatma Gandhi terá sentido pleno: "viva de maneira simples para que outros simplesmente possam viver".

O decrescimento é discutível para as sociedades do Sul, onde a pegada ecológica é baixa e as necessidades básicas não foram cobertas para toda a população. Nesse contexto, o decrescimento é um chamado a não ingressar na sociedade do crescimento, a romper com a dominação econômica e cultural dos países do Norte, a encontrar o sentido da autolimitação e da moderação, às vezes presente nas culturas tradicionais.

---

[4] DILGER, Gerhard; LANG, Miriam & PEREIRA FILHO, Jorge (orgs.). *Descolonizar o imaginário: debates sobre pós-extrativismo e alternativas ao desenvolvimento*. São Paulo: Elefante & Autonomia Literária, 2016.

## 2.5. Movimentos sociais

O imaginário do crescimento levou séculos para ser construído, e sua desconstrução não será do dia para a noite. Esse processo supõe práticas sociais e decisões políticas que permitam fazer frente às urgências do presente e assentar as bases para outras formas de viver em comum e de habitar a Terra.

Vários movimentos sociais se inscrevem na matriz do decrescimento sem necessariamente reivindicá-lo: redes Norte-Sul sobre a espoliação de recursos naturais; movimentos camponeses que rejeitam o produtivismo; movimentos pela abolição da dívida ecológica que obriga os países a exportar quantidades exageradas de produtos primários em detrimento de todo o equilíbrio ambiental; movimentos de recuperação da terra; movimentos dos bens comuns, de acesso à água, de justiça climática, de resistência a megaprojetos inúteis; movimentos pela descentralização energética, por cidades em transição, *slow food* [comida lenta], *slow science* [ciência lenta], *slow cities* [cidades lentas], *low tech* [baixa tecnologia], circuitos curtos de consumo, desglobalização.

De maneira geral, trata-se da tomada concreta de consciência sobre o princípio da contraprodutividade desenvolvido por Ivan Illich. Para além de certo limite, as políticas produtivistas perdem a eficácia. A agricultura industrial, em vez de alimentar as populações, envenena ou faz adoecer, e destroça definitivamente as condições da própria realização capitalista devido ao desgaste do solo. O crescimento dos gastos em saúde melhora o lucro dos laboratórios farmacêuticos sem melhorar a saúde da população. O aumento do tráfego de automóveis acaba por aumentar as distâncias e o tempo de transporte. O crescimento mata e precariza empregos.

Resistências e experiências desvelam outros mundos. Fortalecem uma "mudança desde baixo" sem a qual não podemos cogitar qualquer transformação social e política. É suficiente? Quais os mecanismos para iniciar transformações globais? Se é relativamente simples entender e entrar em acordo sobre a necessidade de mudança de imaginário, é muito mais difícil conceber a transição a uma sociedade de pós-crescimento. As perguntas surgem imediatamente. Decrescimento de quê e como? Qual a diversidade de políticas e em que escala? Como pensar em solidariedade e justiça sem crescimento econômico? Que prazos temos, que etapas, como organizar uma reconversão industrial?

As alternativas ao crescimento e ao produtivismo se colocam de maneira complementar em todos os níveis: individual, local, nacional e internacional. Para avançar, as mudanças nos países do Norte são essenciais. É nesses países que foram inventados o capitalismo e o produtivismo, bem como o "socialismo" produtivista. É a partir deles que esse modelo foi exportado, embora tenha encontrado relevância em outros lugares. Foi lá que o imaginário do crescimento ilimitado se estabeleceu como condição para o bem-estar e a justiça. É para atender suas demandas que a deterioração dos ecossistemas desfere golpes contra os mais pobres (alimentação, saúde, moradia, descanso), e a globalização econômica e financeira devasta os empregos e a natureza.

No Sul também existem numerosos movimentos de resistência e experiências concretas no sentido de redefinir a relação das sociedades com o meio ambiente, questionando o neoliberalismo e o produtivismo. Esses movimentos geralmente são antigos e correspondem, como escreveu o economista catalão Joan Martínez Alier, a um "ecologismo dos pobres", que questiona os discursos pseudocompassivos em direção aos países do Sul e aos males do planeta.

A reflexão não pode ser realizada a partir de uma elite de iluminados, composta por indivíduos virtuosos e alguns especialistas. Sabemos até que ponto essa visão seria capaz de levar a novas formas de totalitarismo. Por isso, é a partir de relações sociais e experiências concretas que devemos construir nossa reflexão.

As fontes são numerosas e é nosso trabalho constante revisá-las. Em oposição à corrente dominante dos anos 1980, Cornelius Castoriadis manteve uma crítica do imaginário econômico, do desenvolvimento e do produtivismo. Ele articulou o pensamento à crítica do capitalismo e do "capitalismo de Estado", para finalmente lançar a ideia de uma necessária frugalidade, que é a qualidade de ser econômico, próspero e prudente no uso de recursos consumíveis. Isso faz da sociedade frugal a condição básica de uma sociedade democrática, na qual se encontra a possibilidade de escolhas coletivas no interior de limites coletivamente decididos. No centro da análise estão as relações sociais, os movimentos sociais e a política. A frugalidade, desse modo, deve permitir sair da heteronomia imposta pela dominação tecnocientífica e pelo neoliberalismo.

## 2.6. Conclusão

Deixar a sociedade do crescimento implica questionar o capitalismo, fundado sobre a acumulação contínua e ilimitada de riquezas e de capital. Mas enfrentá-lo não significa obrigatoriamente o questionamento do crescimento. O capitalismo e o socialismo compartilham o produtivismo, assim como direita e esquerda, na maioria dos casos.

Para além do capitalismo, o decrescimento questiona uma civilização que fundou a liberdade e a emancipação na dominação e na espoliação da natureza, e que ofereceu a autonomia individual e coletiva como sacrifício no altar da produção e do consumo ilimitado de riquezas materiais. O capitalismo agravou o despojo dos meios de vida, a submissão do trabalho ao capital e a mercantilização da natureza. Esse projeto de domínio racional do mundo, dos humanos e da natureza está em pleno colapso.

O decrescimento, ou melhor, o pós-crescimento e o "desacostumar-se ao crescimento" projetam caminhos que se encontram com as aspirações do Bem Viver, no reconhecimento dos bens comuns, no movimento pelos direitos da natureza, na rejeição ao extrativismo, na desglobalização e, de maneira mais geral, na luta por uma democracia real.

# Referências bibliográficas

CASTORIADIS, Cornelius. *A instituição imaginária da sociedade*. São Paulo: Paz e Terra, 1982.

DALY, Herman. *Beyond Growth: The Economics of Sustainable Development*. Boston: Beacon Press, 1997.

_____. *Toward a Steady-State Economy*. San Francisco: Freeman, 1972.

DIETZ, R. & O'NEILL, D. *Enough is Enough*. Estados Unidos: Routledge, 2013.

ESCOBAR, Arturo. *Encountering Development: The Making and Unmaking of the Third World*. Princeton: Princeton University Press, 1995.

GADREY, Jean. *Adieu à la croissance. Bien vivre dans un monde solidaire*. Paris: Les Petits matins, 2010.

GEORGESCU-ROEGEN, Nicholas. *The Entropy Law and the Economic Process*. Cambridge: Harvard University Press, 1971.

_____. *O decrescimento: entropia, ecologia e economia*. São Paulo: Senac, 2013.

HEINBERG, Richard. *The End of Growth: Adapting to Our New economic reality*. Gabriola: New Society Publishers, 2011.

JACKSON, Tim. *Prosperity without Growth. Economics for a Finite Planet*. Londres: Earthscan, 2011.

LATOUCHE, Serge. *Faut-il refuser le développement*. Paris: PUF, 1986.

_____. *L'occidentalisation du monde. Essai sur la signification, la portée et les limites de l'uniformisation planétaire*, Paris: La Découverte, 1989.

_____. *Le pari de la décroissance*. Paris: Fayard, 2006.

MARTINEZ ALLIER, Joan. *O ecologismo dos pobres*. São Paulo: Contexto, 2007.

MEADOWS, Denis. *Limites do crescimento*. Rio de Janeiro: Qualymark, 2007.

RIST, Gilbert. *The History of Development, From Western Origins to Global Faith*. Londres: Zed Books, 2007.

SACHS, Wolfgang. *Dicionário do desenvolvimento: guia para o conhecimento como poder*. Petrópolis: Vozes, 2000.

# 3. Os bens comuns
Christophe Aguiton[5]

Os *bens comuns*, ou simplesmente *comuns*, despertam hoje muita discussão em círculos de acadêmicos e ativistas. O que são os comuns? É correto falar de bens comuns como se fossem recursos físicos, naturais ou do conhecimento? Ou, pelo contrário, os comuns são um tipo de relação social, uma forma de gestão social de diferentes elementos e processos necessários para a vida de uma comunidade humana? O que define um comum: o objeto ou a relação social que o envolve?

Falaremos sobretudo de comuns, mais que de bens comuns, para destacar que são essencialmente processos de gestão social sobre diferentes elementos e aspectos necessários para a coletividade humana. Essas relações sociais de colaboração se dão em torno de algum tipo de elemento material, natural, digital ou do conhecimento, mas o que os faz comuns é a prática de gestão comunitária que permite cuidar daquele elemento e, ao mesmo tempo, reproduzir e enriquecer suas formas de organização social.

[5] Este capítulo contou com a colaboração de Elizabeth Peredo Beltrán.

## 3.1. Origem

Os comuns vêm da Inglaterra medieval, onde os agricultores tiveram acesso a áreas de domínio senhorial. A Carta Magna, imposta pelos barões ingleses ao rei em 1215, definia as liberdades a que teriam direito os integrantes do reino. Houve uma modificação em 1225, incorporando um texto denominado "Carta dos bosques", que especifica os direitos de acesso dos "comuneiros" aos pastos e bosques. Esses comuns britânicos foram questionados nos séculos XVI e XVIII pelos proprietários de terras, que queriam colocar cercas para o pastoreio de ovelhas em meio ao auge da indústria têxtil. Ainda que essa realidade corresponda ao contexto de organização econômica e social da Idade Média, situações parecidas se deram em várias sociedades pré-capitalistas de diferentes continentes e, de maneira diversa e complexa, em formas de gestão de povos indígenas.

## 3.2. A natureza dos comuns

Os comuns são um modo particular de relação social com os bens materiais ou imateriais. Elementos naturais, como a água e o ar, existem como tais, e só se convertem em comuns quando uma comunidade humana administra suas relações com esses elementos de maneira coletiva.

Em 1954, o Prêmio Nobel de Economia Paul Samuelson assinalou que uma das características dos bens públicos é que não são bens passíveis de exclusão ou rivalidade. Um bem é excluível quando é possível impedir que uma pessoa faça uso dele. E é rival quando o uso por uma pessoa limita o uso por outra. Por exemplo, a iluminação pública não é nem um, nem outro, porque não se pode privar ninguém de seu uso, e esse uso por parte de uma pessoa não impede ou atrapalha o uso por outra. Essa descrição de Samuelson provocou problemas na medida em que alguns economistas confundiram bens públicos com bens comuns.

Essa questão se tornou ainda mais complexa quando alguns destacaram que os bens comuns, ainda que não sejam excluíveis, podem ser rivais. É o caso, por exemplo, dos recursos pesqueiros em alto mar: é muito difícil excluir um pescador, mas a pesca por um grupo pode afetar outro grupo. As reflexões sobre a relação com os bens naturais e sustentáveis, tanto social como ambiental, começaram a ter muito mais relevância durante os anos 1970, quando uma forte onda de ativistas e pesquisadores refletiu sobre os limites dos recursos naturais.

Em 1968, o biólogo norte-americano Garrett Hardin publicou na revista *Science* o artigo "A tragédia dos comuns", no qual afirma que "os indivíduos, motivados apenas pelo interesse pessoal e atuando independente, mas racionalmente, terminam por destruir um recurso compartilhado limitado (o comum) ainda que a nenhum deles, seja como indivíduos ou como grupo, lhes convenha que tal destruição ocorra".

Hardin demonstra que os bens comuns estão condenados pelo fato de que os usuários — pescadores ou agricultores — utilizarão esse bem comum antes de fazer uso dos próprios recursos. Na visão dele, a água, a terra, as sementes, os parques e a natureza estão sujeitos ao uso predatório e pouco eficiente. A mensagem do texto é de que a comunidade é incapaz de obter acordos racionais sobre o uso da propriedade comunal e, portanto, deveríamos privilegiar a propriedade privada ou introduzir um agente externo, como o Estado, por meio da propriedade pública, para alcançar uma gestão eficiente.

Em oposição às teorias de Hardin, a cientista política norte-americana Elinor Ostrom recebeu o Nobel de Economia em 2009 ao demonstrar que os bens comuns podem ser controlados de maneira eficiente quando um coletivo assegura sua administração e manutenção. No livro *Governing the Commons: The Evolution of Institutions for Collective Action* [Administrando os comuns: a evolução das instituições para a ação coletiva], publicado em 1990, ela traça um minucioso trabalho de investigação sobre as experiências em várias partes do mundo, e conclui que a "governança policêntrica" baseada em desenhos complexos para gestões complexas em realidades complexas é o que garante a gestão dos comuns. Ela postula que as comunidades são capazes de criar sistemas sustentáveis com base em consensos sociais. Sob essa perspectiva, predomina a noção de abundância, em contraposição à escassez, como pilar do paradigma dos comuns.

O trabalho de Ostrom identifica oito princípios que caracterizam as estruturas de gestão dos comuns:

- Organizações com integrantes claramente definidos: sabe-se como e por que pertencem ao grupo;
- Coerência de regras sobre quem, quando e quanto do bem comum se pode "usar" ou administrar;
- Sistemas democráticos de eleição coletiva de representantes;
- Sistemas de vigilância: os encarregados devem responder perante o coletivo;
- Sistemas de punição para quem viole as regras;
- Mecanismos de resolução de conflitos;
- Reconhecimento mínimo de direitos de organização autônoma ante autoridades estatais; e
- As atividades em torno desse recurso de uso comum são realizadas pelas organizações interessadas.

A teoria de Ostrom não está livre de críticas. Em especial pela apreciação da natureza como "recursos" que poderiam ser administrados por uma coletividade humana, esquecendo-se que esses recursos são parte de ecossistemas e do sistema da Terra, que têm seus próprios ciclos vitais e que não podem ser geridos de maneira antropocêntrica se desejamos garantir sustentabilidade a esses ecossistemas. Essa realidade é muito visível na análise dos comuns de vários povos indígenas, que consideram a natureza como morada, como mãe e como base vital. Eles não se propõem a governá-la, mas a conviver e a cuidar.

## 3.3. Bens comuns e bens públicos

Os comuns adquiriram notoriedade porque são uma resposta à privatização generalizada promovida pelo processo de globalização neoliberal. No entanto, essa não é a única resposta. Surgiram outros conceitos, como os "bens públicos globais" e os "bens públicos da humanidade". Essas propostas assinalam a responsabilidade da comunidade internacional na solução da mudança climática ou da crise financeira. A ideia é que crises deixem de ser reguladas pelas leis do mercado e pela especulação. Porém, o inconveniente desses enfoques é que agrupam em um mesmo guarda-chuva bens comuns e bens públicos.

O economista e cientista político italiano Ricardo Petrella, fundador do Comitê Internacional pelo Contrato Mundial da Água, apresentou como "bens vitais, essenciais para a vida, o ar, a água, o capital bioético, os bosques, o sol, a energia e o conhecimento, que devem ser reconhecidos como bem comum da humanidade" (Petrella, 2002). O sociólogo belga François Houtart propôs às Nações Unidas, em 2009, a adoção de uma Declaração Universal dos Bens Comuns da Humanidade, que inclui a democracia, o multiculturalismo, a luta contra a mudança climática e os serviços de saúde, educação, transporte público e eletricidade (Houtart, 2009).

À diferença dessas propostas, pensamos ser importante distinguir entre bens públicos e bens comuns, de modo a demarcar a divergência com as visões da esquerda do século xx, que no geral giravam em torno da oposição capitalismo-socialismo. Em outros termos, propriedade privada dos meios de produção e lei de mercado, por um lado, contra nacionalização dos meios de produção e planificação econômica.

O aporte da visão contemporânea dos comuns mostra que há uma alternativa ao capitalismo e à esfera pública dominada pelo Estado. Essa é uma opinião compartilhada por muitos ativistas e intelectuais, como Michel Bauwens, Silke Elfrich e David Bollier, que criaram o Grupo de Estratégias sobre os Comuns. A eles se somam outros autores, como Pierre Dardot e Christian Laval. Essa abordagem é especialmente importante no momento em que vêm à tona os limites da gestão econômica pelo Estado. Por exemplo, muitas empresas públicas foram administradas de maneira semelhante às corporações privadas durante a planificação centralizada da União Soviética, e em países de economia de mercado que nacionalizaram indústrias depois da Segunda Guerra Mundial.

É na esfera pública que a sociedade delega a instituições especializadas do Estado a gestão de atividades que não são privadas, como os serviços públicos de escolas, hospitais, centros de investigação, entidades de gestão política etc. Em suma, a esfera pública inclui tudo o que é relacionado ao Estado. De outro lado, os comuns são o espaço no qual os interessados atuam de maneira direta, envolvidos de forma totalmente diferente. Alguns exemplos são cooperativistas que trabalham diariamente em suas empresas, aldeões que cortam lenha alguns dias por ano e leitores e colaboradores ocasionais da Wikipédia.

Logo, a questão da gestão e propriedade não se resume a uma relação binária entre público e privado, entre mercado e planificação estatal. Existe uma relação tripartite entre o público, o privado e os comuns. No mundo da cartografia, por exemplo, temos uma multinacional privada com um quase-monopólio (Google Maps e Google Street View), agências públicas de mapeamento, a maioria militares, e ativistas da web que criaram uma alternativa chamada Open Street Map, que é um mapa de livre colaboração e acesso, com uma comunidade em pleno crescimento.

Na França, o Instituto Geográfico Nacional perdeu a competição porque não conseguia mais vender os mapas digitais que o Google colocava à disposição gratuitamente. Já o Open Street Map ganhou fama porque foi capaz de construir, em pouquíssimos dias, um mapa de Porto Príncipe, Haiti, depois da destruição pelo terremoto de 12 de janeiro de 2010.

Há ainda quem enxergue uma relação quadripartite entre público, privado, os comuns e a natureza. Evidentemente, esta última tem processos próprios de autorregulação e uma dinâmica que tem de ser levada em conta para qualquer projeto de "gestão".

## 3.4. Tipologia dos comuns

Na concepção original, os bens comuns eram os bens naturais, como florestas e pastagens, que os camponeses da Idade Média podiam acessar para assegurar sua subsistência. Por extensão, o conceito dos comuns foi aplicado a todos os recursos naturais administrados coletivamente pelas sociedades pré-capitalistas: áreas de pastoreio, sistemas comunitários de irrigação, pesca e silvicultura.

Nos últimos tempos, os bens comuns do conhecimento começaram a ser conceitualizados em resposta ao endurecimento das regras de propriedade intelectual. No começo da década de 1980 apareceram os softwares livres, que até então não eram protegidos porque os programas estavam separados do computador. Mas a situação mudou em 1981, quando a IBM lançou um plano para competir com os novos empresários do Vale do Silício, como a Apple, que passaram a comercializar os primeiros microcomputadores. A Microsoft patenteou seu sistema operacional para vendê-lo de forma independente do computador da IBM. Essa transformação no mundo da informática deu lugar à criação, em 1989, da Free Software Foundation, uma organização de apoio às licenças de software livre. Para Richard Stallman, criador da organização, esse é um bem comum da humanidade, que deve estar acessível a todos. O movimento cresceu ao ponto de, hoje, boa parte dos softwares disponíveis ser livre ou baseado em código aberto.

Nos anos 2000, os comuns do conhecimento se expandiram por duas iniciativas. A primeira foi a introdução das Creative Commons, que são um conjunto de licenças que podem liberar qualquer obra intelectual, foto, texto ou música dos direitos de autor e de propriedade intelectual. Gilberto Gil, por exemplo, difundiu vários trabalhos usando essa licença.

A outra iniciativa se deu no mundo acadêmico, em embate com as normas de propriedade intelectual e com grandes editoras que controlam as publicações. Uma situação de todo absurda, já que a grande maioria dos pesquisadores e professores de educação superior recebe um salário e não ganha nada pelas publicações. Em resposta, e para permitir o acesso das universidades do Sul global, que em geral carecem de recursos para pagar as assinaturas das revistas acadêmicas, foi lançado em Budapeste, em 2002, o Open Access Initiative, que passou a publicar os resultados das pesquisas de maneira livre.

A ideia dos comuns também reverberou na área ambiental, com a crescente preocupação e consciência sobre a gravidade de problemas como a mudança climática e a contaminação do ar e dos oceanos. Entre as muitas iniciativas para evitar a privatização dos comuns, as mais exitosas dizem respeito à água. A Guerra da Água na Bolívia, que evitou a apropriação da água pelo setor privado em Cochabamba e El Alto, é um dos exemplos mais famosos. Na Itália, o "sim" venceu o referendo que declara a água como bem comum.

Essas vitórias, porém, não resultaram uma melhoria da capacidade social de administrar a água como um bem comum. Na Bolívia, a gestão pública da água não teve o efeito desejado, e a transição a uma gestão "político-social", reivindicação dos movimentos contrários à privatização, encontrou resistência tanto de autoridades como de burocracias sindicais e da tecnocracia de empresas públicas. Dessa maneira, esses comuns ficaram no meio do caminho, como projetos sem concretude.

O grande desafio dos comuns vinculados à natureza é que agora envolvem milhões de pessoas. Nas sociedades pré-capitalistas, os comuns da natureza eram administrados por dezenas ou centenas de pastores e camponeses. Hoje, porém, estamos falando de uma gestão comunitária de dimensões planetárias.

Falta ainda falar dos comuns que envolvem cooperativas, sistemas mutuais, associações e empresas sociais imersas na economia solidária. São situações muito diversas, como uma cooperativa retomada por trabalhadores depois de um conflito social ou um banco mutualista com uma carteira de milhões de euros. Essas estruturas podem ser híbridas e ter diferentes dinâmicas que acabam por afastá-las dos comuns. No entanto, é preciso lembrar que as cooperativas foram a primeira resposta do movimento de trabalhadores e do movimento socialista do século XIX ao capitalismo industrial, baseado em exploração e alienação.

Em resumo, temos comuns muito diversos. As diferenças e tensões são numerosas, e por vezes dificultam a classificação e a delimitação. A escala, o objeto, a dinâmica e as formas de autogestão complexificam a análise. O propósito e a relação com o mercado são outros elementos a considerar, pois produzir para o autoconsumo é muito diferente de produzir para o mercado local, nacional ou mundial. Os comuns não se desenvolvem no vazio: estão em permanente interação com outras formas de gestão pública e privada em ecossistemas mutáveis.

Há também diferentes tipos de "comuneiros". De um lado, os que querem acesso universal ao conhecimento, como os produtores de software livre; do outro, comunidades indígenas que guardam para si seus saberes ancestrais sobre sementes agrícolas. Essa diversidade e complexidade, longe de enfraquecer a abordagem, a enriquece e nos obriga a partir da realidade, em lugar de nos prender a esquemas fixos que muitas vezes não abarcam as múltiplas dimensões dos processos de gestão e de construção do comum.

## 3.5. Direitos, *commoning* e o cuidado dos comuns

No seio da modernidade ocidental e no capitalismo encontramos dois mitos: a soberania ilimitada do Estado, como define Thomas Hobbes em *Leviatã*, e a fé na instituição da propriedade que permite a John Locke vincular propriedade privada e prosperidade geral. Serge Gutwirth e Isabelle Stengers (2016), seguidos por Fritjof Capra e Ugo Mattei (2015), nos recordam que o equilíbrio entre os direitos de propriedade e o poder do Estado está em constante evolução.

Estamos numa fase histórica na qual o Estado renuncia a uma série de prerrogativas para defender a propriedade privada — porque o governo, afinal, é também um proprietário. Entre a soberania estatal e a soberania da propriedade não há lugar para os comuns, regidos por um conjunto de direitos e obrigações advindos de outras lógicas. Para Ostrom, é possível separar os comuns em um conjunto de direitos que podem ser atribuídos a diferentes usuários: acesso, gestão, alienação, exclusão e eliminação. Os direitos de uso estão relacionados com as origens históricas dos comuns — como o direito ao pastoreio —, mas não se aplicam aos comuns do conhecimento, nos quais há o direito de acesso, mas não o de exclusão, porque não há competição entre os usuários.

Burns Weston e David Bollier vão além da simples descrição dos diferentes tipos de direitos e postulam a importância do *commoning*, ou seja, de "fazer em comum", de atuar coletivamente para o desenvolvimento dos comuns. O *commoning* é a lógica presente em diferentes tipos de comuns, que permite descrever as práticas que são similares em sua gestão, excluindo aquelas que se realizam através da propriedade privada ou que são assumidas pelo Estado e pelas instituições. Como método, baseia-se em uma cultura de cooperação e reciprocidade.

Capra e Mattei desenvolvem um enfoque inovador ao distinguir entre uma prática extrativista e uma geradora. O sistema jurídico atual se baseia numa mentalidade extrativista, que atomiza a sociedade com base na noção do indivíduo, pela qual toda relação humana é redutível a uma relação de propriedade. Em contraste, o direito ao *commoning* é gerador, ou criador, porque se baseia em relações de cooperação, reprodução, acesso e inclusão, e promove novas práticas sob uma lógica criativa para o desenvolvimento dos comuns. Ou seja, o *commoning* promove conceitos-chave para o funcionamento dos comuns.

Podemos propor um princípio que una os comuns: o cuidado. Ostrom mostrou aquilo que permitiu manter os comuns na gestão de recursos por diferentes atores locais, com normas sociais e acordos institucionais. Podemos ver que, para além das diferenças, somente a gestão direta e o cuidado pelas comunidades permitem a sustentabilidade dos comuns. Se os pequenos agricultores deixassem de cruzar e selecionar sementes ou variedades de animais, suas práticas e seus conhecimentos teriam maior risco de ser monopolizados por multinacionais ou organismos paraestatais. Se os milhares de colaboradores da Wikipédia deixassem de escrever e atualizar os textos, a maior enciclopédia do mundo desapareceria ou terminaria absorvida por um grupo privado ou público. Se os habitantes de um povoado não quiserem continuar com a gestão dos bosques comunitários, esses escaparão ao controle. Há que considerar que em todos os setores existe uma pressão corporativa, e inclusive estatal, para controlar esses bens comuns e inseri-los nas dinâmicas capitalistas, predatórias e extrativistas.

## 3.6. Bens comuns e direitos fundamentais

Como mencionamos, no século XIX, durante a aparição das teorias socialistas e comunistas, difundiu-se a aspiração de contar com cooperativas e associações trabalhistas. Mutuais e sociedades de ajuda geridas por trabalhadores complementavam o quadro e asseguravam tarefas solidárias diante de doenças e da velhice. Essas associações se baseavam em um capital comum, inalienável, que atraiu comuns do campesinato feudal. Esse foi o princípio de separação entre a propriedade coletiva e a capacidade de uso de uma pessoa para participar na produção material.

Na transição entre os séculos XIX e XX, começou a se desenvolver outra visão. A propriedade coletiva foi se transformando em uma propriedade pública sob o controle do Estado e das autoridades locais. Dois elementos importantes explicam esse processo:

- Ao final do século XIX emergiu um mundo totalmente novo devido aos aportes da segunda revolução industrial, à aparição da grande empresa sob o modelo alemão e ao desenvolvimento de redes técnicas (ferrovia, eletricidade e telefone), enquanto terminava o primeiro período de globalização e se afirmavam as grandes potências que dividiram o mundo. Nesse contexto, a socialdemocracia e o movimento comunista desenvolveram uma visão do socialismo orientada a continuar com o avanço dessas redes técnicas e da grande indústria sob um Estado planificador;
- Na mesma época, as aspirações populares e as necessidades de uma indústria moderna convergiram para desenvolver um serviço público de educação gratuita e obrigatória, e sistemas de proteção social para cobrir riscos, doenças, acidentes de trabalho e aposentadoria. É então

que surge a ideia de não limitar os direitos universais aos direitos democráticos como enunciados na declaração dos direitos do homem e do cidadão, da Revolução Francesa, mas fazer com que contemplem "direitos positivos", como os direitos sociais e econômicos (educação, moradia) que acabaram reconhecidos em 1948, na Declaração Universal dos Direitos Humanos.

Nesse contexto, os comuns do século XIX, herdados das sociedades feudais e das cooperativas de trabalhadores, entraram em declínio por duas questões: por um lado, não corresponderam aos critérios de progresso e eficiência que tornaram possível a grande empresa e a planificação estatal; por outro, não viabilizaram a criação de direitos sociais de caráter universal.

Demorou quase um século para que a questão dos comuns retornasse ao centro da discussão por meio do movimento altermundialista — que propunha "um outro mundo possível" — e de círculos acadêmicos. Há várias razões para isso: o balanço negativo das experiências de administração econômica pelo Estado e pelo setor privado; o rechaço às privatizações; a crise da ideia de progresso como foi concebida no começo do século XX (inclusive pelos Estados socialistas, que desenvolveram visões industrialistas); e, finalmente, a aparição de novas categorias de comuns, como o conhecimento e a natureza.

Essas novas categorias têm como característica ir ao encontro da definição de direitos universais: acesso ao conhecimento para os comuns da era digital, e direitos fundamentais de terceira e quarta geração para os comuns da natureza.

Depois dos direitos civis e políticos e dos direitos econômicos e sociais, começou-se a definir direitos mais gerais, como o de viver em um meio ambiente equilibrado e respeitoso com a saúde, como previsto na Constituição francesa em 2005; ou os direitos da natureza, que abarcam elementos não humanos, defendidos na Declaração Universal dos Direitos da Mãe Terra, proposta pela Bolívia nas Nações Unidas.

O desenvolvimento de direitos fundamentais será um novo impulso ao conceito dos comuns e, além disso, provocará uma reflexão mais ampla sobre a relação entre os comuns, a natureza, o privado e o público.

## 3.7. Bens comuns e democracia

À luz da experiência histórica, o interesse maior na defesa e na expansão do domínio dos comuns se deve ao enfoque no cuidado coletivo por meio de uma propriedade social real e de uma democracia direta, que não se confina a um momento de luta ou de experiência revolucionária, mas resulta também uma relação vital, não necessariamente de propriedade, mas de interdependências e ecodependências, como sugerem as ecofeministas, considerando as reflexões contemporâneas sobre a crise do clima, da alimentação e da água.

A delegação de poder às instituições políticas pode ser corrigida pela democracia participativa, com a introdução de mecanismos de revogação dos políticos eleitos e o fortalecimento do direito ao referendo. No entanto, a experiência nos mostra que há sérias dificuldades para colocar essas medidas em prática. E, pior, inúmeros obstáculos para que essas ações de inovação política sobrevivam ao tempo, como o orçamento participativo, nascido em Porto Alegre nos anos 1980. Para além da transformação das estruturas de poder político, os comuns demandam um envolvimento ativo, na qualidade de mecanismos para exercer, na prática, alternativas de sociedade.

Dessa maneira, os comuns permitem restabelecer uma tradição de socialismo do século XIX, que coloca no centro do processo de emancipação as práticas sociais em nível de educação, as cooperativas, a vida comunitária e as relações entre homens e mulheres.

Além de permitir pensar em novos direitos fundamentais, os comuns do conhecimento e da natureza dão a possibilidade de exercê-los sem passar pela esfera pública. A internet é um exemplo. Nos anos

1990, provedoras privadas e públicas fizeram as primeiras tentativas de oferecer novas bases de conhecimento e novos meios de comunicação. Essas primeiras experiências on-line acabaram por se impor no mundo inteiro, motivo pelo qual há muitos defensores do acesso enquanto direito fundamental.

Desde os anos 1980, graças a uma comunidade de engenheiros e universitários que construiu a rede com programas de software livre, a internet conseguiu criar uma identidade colaborativa e aberta. Certas características permitem afirmá-la como bem comum da humanidade, administrado por uma comunidade técnica capaz de autogestão. Por não ser administrada pelos Estados, surgem conflitos e debates recorrentes sobre sua gestão, que se configuram de duas maneiras:

- A intenção de controlar a rede por mecanismos nacionais criados em nome da defesa da propriedade intelectual, da luta contra o terrorismo e contra a pedofilia; e
- A proposta de estabelecer um sistema interestatal que se encarregue de gerir a rede.

Essas questões são centrais nas mobilizações que se desenrolam em vários países contra o Acordo Comercial Antifalsificação e explicam o surgimento de novas correntes políticas, como os partidos piratas, ou novos movimentos sociais, como o Students for a Free Culture [Estudantes por uma cultura livre], que teve impacto importante nos Estados Unidos entre 2007 e 2010.

A radicalização da democracia, acompanhada de práticas sociais de apropriação coletiva, como os comuns, e o surgimento da defesa dos direitos fundamentais sem a administração do Estado poderiam constituir um eixo de atuação central para uma esquerda em busca de uma transformação social que permita caminhar rumo a um socialismo que não se confunda com o reforço das estruturas estatais. Essa ação poderia, por um lado, impulsionar leis e políticas que ampliem as liberdades e os direitos, favorecendo o desenvolvimento dos diferentes tipos de comuns e, por outro, promover o envolvimento de todos nas diferentes formas de propriedade coletiva, difundindo sistemas de valores baseados no compartilhamento e no cuidado do outro. As formas particulares dessa intervenção podem ser muito variadas, sempre ligadas à manutenção e melhora da produção dos comuns agrícolas e das cooperativas, e também à generalização das práticas individuais e sociais apoiadas nos valores compartilhados para o cuidado dos bens comuns.

## 3.8. Realidades híbridas

As relações sociais que estão no centro dos comuns são contrárias à lógica capitalista e à gestão pública-estatal. No entanto, há uma série de inter-relações e realidades híbridas, porque não há como escapar ao entorno.

Tudo indica que o capitalismo não teria conseguido se desenvolver sem o Estado moderno. Essa interdependência implica uma influência recíproca sobre os modelos de gestão, a organização do trabalho, a construção de instituições em várias áreas, a investigação, a educação, a inovação, a proteção social, a gestão de mercados etc.

No âmbito dos comuns, uma das primeiras transformações foi a adoção, por parte de cooperativas e mutuais, de estruturas muito similares às de grandes grupos capitalistas. Nos países desenvolvidos, cooperativas agrícolas avançam em direção ao gigantismo. Nos Estados Unidos, faturam 140 bilhões de dólares ao ano. Na França, representam 40% do setor alimentar e faturam sessenta bilhões de euros anualmente. Nesse caminho, adotam cada vez mais práticas agroindustriais e formas de gestão similares às das multinacionais.

Há um processo semelhante ocorrendo no setor bancário. A diferença entre bancos mutualistas e bancos privados é cada vez menor, o que se explica por três elementos. Primeiro, a globalização neoliberal empurra as cooperativas a assumir métodos de gestão que permitam fazer frente à competição internacional. Segundo, a exclusão dos cooperativistas das bases, que se envolvem cada vez menos na gestão e no cuidado. E, por fim, ligado ao ponto anterior, a exagerada autonomia dos dirigentes das cooperativas, que se distanciam das bases ao mesmo tempo que se aproximam das dinâmicas das multinacionais.

O segundo processo de transformação é o controle

de negócios digitais sobre a economia colaborativa. Importante dizer que a economia circular e a economia colaborativa são conceitos diferentes da ideia dos comuns, mas ainda fazem parte da tendência geral em favor de compartilhar, reciclar e valorizar circuitos curtos de produção e consumo. Como elemento central dos comuns do conhecimento, temos o universo digital, que facilitou a implementação dessas práticas através de plataformas. Porém, esse espaço permite a grandes e poderosos atores tirar proveito da rede para armar um monopólio. É o caso de redes sociais, como Facebook ou Twitter, de ferramentas de trabalho do Google e de plataformas de serviços como Uber, Airbnb e Blablacar.[6]

Frente a esses tipos de privatização, duas formas de reação surgiram. A primeira é garantir direitos trabalhistas a quem de fato trabalha nessas plataformas, ou seja, os fazer com que os motoristas de Uber tenham status de assalariados e possam gozar de benefícios sociais. A segunda, proveniente do mundo dos comuns, busca desenvolver alternativas a esses grandes grupos: programas livres e plataformas verdadeiramente colaborativas baseadas na cultura do intercâmbio e sem fins lucrativos.

É importante levar em conta o surgimento e o desenvolvimento de uma lógica dos comuns dentro dos serviços públicos, das instituições e das grandes empresas. As ferramentas digitais permitem que mães e pais

---

[6] Para mais detalhes sobre o assunto, ver SLEE, Tom. *Uberização: a nova onda do trabalho precarizado*. São Paulo: Elefante, 2017; SCHOLZ, Trebor. *Cooperativismo de plataforma*. São Paulo: Elefante, Autonomia Literária & Fundação Rosa Luxemburgo, 2017; e QUINTARELLI, Stefano. *Instruções para um futuro imaterial*. São Paulo: Elefante, 2019. [N.T.]

voltem a intervir no espaço escolar, algo antes visto como "antigo". O mesmo vale para pessoas com HIV, por exemplo, que podem trocar informações entre si, participar do tratamento e acessar medicamentos. O digital facilita também as iniciativas de controle de instituições e de empresas, graças ao acionar de coletivos de cidadãos que filtram ou sistematizam a informação e tornam possível a publicação em espaços abertos.

## 3.9. Debates a aprofundar

Um tema que merece maior reflexão é aquele vinculado aos modos de gestão dos comuns. A prática do cuidado quer dizer implicar-se, envolver-se e, por consequência, estar estreitamente vinculado à gestão dos comuns, de formas muito variadas. Os casos de grandes comuns, como a Wikipédia ou a internet em si, são particularmente interessantes porque têm funcionamentos parecidos aos de alguns movimentos surgidos recentemente, como os Indignados, da Espanha, ou o Occupy, dos Estados Unidos. São três princípios básicos: participa quem quiser, as decisões são adotadas por consenso e os acordos alcançados são socializados ao nível local mais amplo possível.

Essa forma de funcionamento, porém, apresenta certos problemas porque tende a deixar de lado o debate político e não evidencia os processos de tomada de decisão que ocorrem fora das grandes assembleias. Isso levanta uma questão central: o que entendemos de fato por democracia real? Quais são os elementos constitutivos? Como aprofundar essa democracia real para que não acabe sendo cooptada ou distorcida por formas político-partidárias ou estatais?

Não se trata apenas da democracia no interior dos comuns, mas da relação com o Estado. Qual deve ser a postura dos comuns perante o Estado? Que tipo de transformações devem ser produzidas no Estado da perspectiva dos comuns? É possível "comunizar" o Estado ou, pelo contrário, a principal contribuição dos comuns é criar uma espécie de contrapoder, preservando sempre uma autonomia frente ao poder estatal? Como combinar ambas as estratégias?

De fato, muitas realidades, sobretudo nos países do Sul, mostram dinâmicas monopolistas do Estado, com tendência a regulamentar e ter direitos legais e fiscais sobre todas as atividades, em particular as relacionadas com a gestão territorial — apesar de incontáveis ferramentas que foram sendo criadas em sistemas legislativos locais e multilaterais, afetando desse modo a existência das estruturas dos comuns vigentes.

Além disso, é fundamental refletir sobre qual é a visão dos comuns sobre prosperidade, modernidade ou futuro. Na atualidade, toda forma de gestão, privada, estatal ou comunitária, responde a uma certa dinâmica que implica um hoje e um amanhã. Onde queremos chegar com os comuns? Há uma visão crítica compartilhada no movimento dos comuns sobre desenvolvimento, progresso, produtivismo e modernidade? Esse não é um tema essencial para a potencialidade dos comuns no século XXI?

Por último, é fundamental refletir sobre a relação dos comuns com a natureza, ou seja, como construir e encorajar a promoção e a necessidade de comuns não antropocêntricos. Os comuns praticados pelos povos indígenas não são antropocêntricos. Essas relações ecossociais, em um momento de crise planetária, são mais necessárias que nunca, e têm de se dar a uma escala inédita. Que formas de gestão dos comuns são mais apropriadas à relação com o clima, os oceanos, as montanhas? Até agora foram testadas iniciativas interestatais pouco efetivas. Como construir modelos de gestão de caráter planetário? Como criar uma consciência global que realmente assuma o desafio de cuidar da Terra em nosso tempo?

# Referências bibliográficas

AZAM, Geneviève. *Le temps du monde fini*. Paris: Les liens qui libèrent, 2010.

BOLLIER, David. *Think Like a Commoner: A Short Introduction to the Life of the Commons*. Gabriola: New Society, 2014.

_____. *Who May Use the King's Forest? The Meaning of Magna Carta, Commons and Law in Our Time*, em Bollier.org, 14 set. 2015. Disponível em <http://bollier.org/blog/who-may-use-kings-forest-meaning-magna-carta-commons-and-law-our-time>.

BOLLIER, David & HELFRICH, Silke. *Wealth of the Commons: A World Beyond Market and State*. Amherst: Levellers Press, 2012.

_____. *Patterns of Commoning*. Amityville: Commons Strategy Group, 2015.

BOWERS, C. A. *Revitalizing the Commons: Cultural and Educational Sites of Resistance and Affirmation*. Lanham: Lexington Books, 2006.

_____. *The Way Forward: Educational Reforms that Focus on the Cultural Commons and the Linguistic Roots of the Ecological Crisis*. Eugene: Eco-Justice Press, 2012.

CAPRA, Fry & MATTEI, Ugo. *The Ecology of Law. Toward a Legal System in Tune with Nature and Community*. San Francisco: BerrettKohler Publishers, 2015.

CORIAT, Benjamin (org.). *Le retour des communs, la crise de l'idéologie propriétaire*. Paris: Les Liens qui Libèrent Editions, 2015.

DARDOT, Pierre & LAVAL, Christian. *Commun, essai sur la révolution du 21ème siècle*. Paris: La Découverte, 2014.

FOURIER, Charles. *The Theory of the Four Movements*. Cambridge: Cambridge University Press, 1996.

GURTWIRTH, Serge & STENGERS, Isabelle. "Le droit à l'épreuve de la résurgence des Commons", em *Revue juridique de l'environnement*, 2016, p. 306-43.

HOUTART, François. "Pour une déclaration universelle du bien commun de l'humanité", em *Le Journal des Alternatives*, 30 jun. 2009. Disponível em <http://journal.alternatives.ca/spip.php?article4898>.

LE CROSNIER, Hervé. *En Commun, introduction aux communs de la connaissance*. Paris: C&F Éditions, 2015.

LINEBAUGH, Peter. *Stop, Thief!: The Commons, Enclosures, and Resistance*. Oakland: PM Press, 2014.

HARDIN, Garrett. "The Tragedy of the Commons", em *Science*, v. 162, n. 3.859, 1968, pp. 1243-8.

MENZIES, Heather. *Reclaiming the Commons for the Common Good*. Gabriola: New Society, 2014.

OSTROM, Elinor. *The Future of the Commons: Beyond Market Failure and Government Regulations*. Londres: Institute of Economic Affairs, 2012.

_____. *Governing the Commons: The Evolution of Institutions for Collective Action*. Cambridge: Cambridge University Press, 2015.

_____. *La Gouvernance des biens communs, Pour une nouvelle approche des ressources naturelles*. Bruxelas: De Boeck, 1990.

PETRELLA, Ricardo. *O Bem Comum: elogio da solidariedade*. São Paulo: Campo das Letras, 2002.

SAMUELSON, Paul. "The Pure Theory of Public Expenditure", em *The Review of Economics and Statistics*, v. 36, n. 4, 1954.

WESTON, Burns & BOLLIER, David. *Green Governance, Ecological Survival, Human Rights and the Law of the Commons*. Cambridge: Cambridge University Press, 2013.

# 4. Ecofeminismo
Elizabeth Peredo Beltrán

O ecofeminismo é uma teoria crítica, uma filosofia e uma interpretação do mundo para sua transformação. Coloca em uma só perspectiva duas correntes, da teoria e da prática política, emergentes da modernidade da ecologia e do feminismo, e procura explicar e transformar o sistema de dominação e violência atual com foco na crítica do patriarcado e da superexploração da natureza, entendidas como parte de um mesmo fenômeno.

O enorme valor do ecofeminismo para as alternativas sistêmicas reside em ser precursor de um diálogo entre propostas diferentes emanadas das lutas sociais e da teoria política do século XX. Seu conteúdo relaciona duas correntes de pensamento e militância que conceberam uma sociedade alternativa questionando os pilares econômicos e culturais mais influentes da opressão e da crise do mundo contemporâneo: a relação de domínio do ser humano sobre a natureza e a relação de poder desigual e violenta do patriarcado, do homem sobre a mulher.

O ecofeminismo, ao mesmo tempo, desenvolve uma proposta de transformação social que busca a integralidade das mudanças a partir do reconhecimento das interdependências entre seres humanos e com a natureza, ou seja, baseado na ideia de que todas e todos precisamos de cuidados e atenção para sobreviver. Mais do que isso, necessitamos de um cuidado de qualidade para viver uma "vida que mereça ser vivida", assim como a natureza requer cuidado e respeito a seus limites e ciclos vitais (Herrero, 2013; Eiler, 1989).

O caminho apontado pelo ecofeminismo busca colocar em evidência as bases materiais do cuidado e a sustentabilidade da vida, e denunciar os elos do sistema de dominação capitalista: a invisibilização, a desvalorização, o menosprezo, a exploração, a desapropriação e a apropriação do saber, do conhecimento, do trabalho e de todas as atividades — realizadas em sua maioria por mulheres — sem as quais a sobrevivência humana, a produção e a reprodução da cultura e da sociedade seriam impossíveis (Herrero, 2013; Shiva, 1995).

Além disso, o ecofeminismo propõe uma análise crítica da economia capitalista e do pensamento único que estrutura o mundo em pares opostos, dando a eles um valor hierárquico — homem-natureza, bom-mau, civilizado-selvagem — que o Ocidente patriarcal desenvolveu como complemento ideológico e filosófico do poder e do domínio sobre a natureza. Esse pensamento dicotômico e reducionista se impõe sobre outras dimensões da vida e da cultura, contaminando o sistema de valores: a cultura e a natureza, a ciência e o conhecimento tradicional, o homem e a mulher, o trabalho masculino e o trabalho feminino.

> Essas díades se associam umas com as outras, no que Celia Amorós denomina "encavalgamentos". Um encavalgamento particularmente transcendente é o que forma os pares cultura-natureza e masculino-feminino. A compreensão da cultura como superação da natureza justifica ideologicamente seu domínio e sua exploração. A consideração da primazia do masculino (associado à razão e à independência) legitima que o domínio sobre o mundo físico seja protagonizado pelos homens, e as mulheres fiquem relegadas ao corpo, ao mundo instável das emoções e à natureza. (Herrero & Pascual, 2010)

Os ecofeminismos, para além de suas diferenças, coincidem na ideia básica de que a opressão das mulheres — e dos homens — e a superexploração da natureza são parte de um mesmo fenômeno. Denunciam uma ordem cultural-simbólica — o patriarcado — e uma ordem econômica — o capitalismo — que invisibilizam, desprezam, violentam e se apropriam do trabalho de cuidado da vida humana com a superexploração dos corpos e das mulheres, além de levar a natureza aos limites da desapropriação, mesmo que a natureza constitua a base fundamental para o bem-estar e a sustentabilidade da vida no planeta.

Simultaneamente a uma proposta teórica e política, os ecofeminismos são também um movimento social, ou melhor, uma diversidade de movimentos, posições e correntes que se encontram no diálogo e no debate.

Portanto, o ecofeminismo é uma proposta em evolução que se nutre de movimentos dinâmicos e propositivos, que vão prefigurando um projeto político de transformação social que se alimenta das lutas, das experiências e dos aportes teóricos dos movimentos feministas, dos movimentos sociais, das mulheres, ativistas, acadêmicas e filósofas de diferentes vertentes: essencialista, espiritual, construtivista. Assim, o ecofeminismo foi sendo construído com as contribuições de indivíduos e coletivos ao longo da história.

## 4.1. Alguns antecedentes

O movimento ecologista surgiu no século passado ante o impacto nocivo da sociedade industrial no planeta, e é certo que parte importante da reflexão ecológica foi feita por mulheres desde os anos 1950 e 1960. Inclusive, desde bem antes, as mulheres eram as primeiras a protestar contra a destruição dos equilíbrios da vida, os efeitos da era industrial, a energia nuclear e a violência da guerra.

Uma das referências mais importantes desse movimento foi Rachel Carson, bióloga e oceanógrafa dos Estados Unidos que denunciou o uso de pesticidas durante a Segunda Guerra Mundial, observando como isso provocou a proliferação dos agrotóxicos e a contaminação dos ecossistemas e da saúde humana. Seu trabalho foi emblemático para o início da reflexão ecológica, em especial por meio do livro *A primavera silenciosa*, publicado em 1962, uma das contribuições mais visionárias na crítica à noção de progresso e do agronegócio. A obra também continha os primeiros elementos de uma filosofia que aborda a relação de domínio sobre a natureza.

> À medida que o ser humano avança rumo a seu objetivo proclamado de conquistar a natureza, ele vem escrevendo uma deprimente lista de destruições, dirigidas não só contra a Terra em que habita como também contra os seres vivos que a compartilham com ele. [...] Ainda falamos em termos de conquistas. Ainda não amadurecemos o suficiente para nos enxergarmos como parte ínfima de um universo incrivelmente vasto. A atitude do ser humano para com a natureza é de fundamental importância, simplesmente porque adquirimos o poder funesto de alterá-la e destruí-la. Mas o ser humano é parte da natureza e sua guerra contra ela é, inevitavelmente, uma guerra contra si mesmo. (Carson, 2010)

Já o Relatório Meadows, também conhecido como *Limites do crescimento*, publicado em 1972, contribuindo à Cúpula da Terra e aos argumentos sobre economia, ecologia e desenvolvimento, teve substanciais contribuições de uma mulher, Donella Meadows, que coordenou a produção do documento junto a um grupo de pesquisadores, com o objetivo de expor a insustentabilidade do desenvolvimento. Essa contribuição teve um impacto muito grande e reverbera até hoje nas narrativas ecologistas e antissistêmicas, porque analisou, com profundidade e projeções para o século XXI, o consumo de recursos, a distribuição econômica, o crescimento demográfico e a contaminação.

Ainda que, para dizer a mesma coisa, muitos ativistas recorram a Albert Einstein, Donella Meadows era verdadeiramente uma precursora do pensamento complexo e do questionamento aos sistemas de pensamento tradicionais e reducionistas da ciência: "Se queremos contribuir à profunda reestruturação dos sistemas necessária para resolver os graves problemas do mundo: pobreza, contaminação e guerra, o primeiro passo é pensar diferente" (Meadows, 1991).

De outro lado, temos a emergência do feminismo como uma das rebeliões sociais mais importantes do século XX. Iniciado pelo movimento sufragista — ainda no século XIX —, pelas pensadoras dos processos sociais da Revolução Russa de 1917 e pelo processo político alemão e europeu, desenvolveu-se adiante com as contribuições fundamentais do pensamento de Simone de Beauvoir, que reavivou o feminismo da época sufragista a partir da filosofia e da crítica do patriarcado sobre a construção social dos gêneros e a naturalização dos papéis tradicionais da mulher:

> Ninguém nasce mulher: torna-se mulher. Nenhum destino biológico, psíquico, econômico define a forma que a fêmea humana assume no seio da sociedade; é o conjunto da civilização que elabora esse produto intermediário entre o macho e o castrado que qualificam o feminino. (Beauvoir, 2017)

A filósofa feminista argentina Alicia Puleo (2009) inquire, nas obras de Beauvoir, os elementos que contribuíram para a reflexão sobre a relação mulher-natureza. São poucos, pelo fato de a autora estar mais concentrada na "construção" do ser feminino. Ainda assim, incorporaram elementos importantes para a evolução do pensamento e da proposta feminista:

> O homem procura na mulher o Outro como Natureza e como seu semelhante. Mas conhecemos os sentimentos ambivalentes que a Natureza inspira ao homem. Ele a explora, mas ela o esmaga, ele nasce dela e morre nela; é a fonte de seu ser e o reino que ele submete à sua vontade. [...] Ora aliada, ora inimiga, apresenta-se como o caos tenebroso de onde brota a vida, como essa vida, e como o além para o qual tende: a mulher resume a natureza como Mãe, Esposa e Ideia. (Beauvoir, 2017)

Mas foi Françoise d'Eaubonne, uma ativista feminista francesa, contemporânea de Beauvoir, a primeira a postular a relação entre ecologia e feminismo, e a cunhar o termo que originaria a ideia de "ecofeminismo" em 1974. A expressão ecologia-feminismo surgiu como resposta ao fato de que a humanidade estava na bifurcação entre o feminismo e a morte, devido à devastação dos bens naturais. A leitura era de que apenas o feminismo seria capaz de assegurar a defesa da vida no planeta diante do fenômeno do crescimento sustentável. A autora reivindicou o controle sobre o próprio corpo como garantia da sustentabilidade e da regulação do crescimento populacional, que, a seu ver, era um mandato patriarcal. D'Eaubonne dizia que, "se a sociedade masculina continuar, amanhã não haverá humanidade".

> Até o momento, as lutas feministas se limitaram a demonstrar o preconceito com mais da metade da humanidade. Chegou a hora de demonstrar que é com o feminismo que a humanidade inteira vai mudar. [...] O feminismo, ao libertar a mulher, liberta a humanidade inteira. É o que mais se assemelha ao universalismo. Encontra-se na base dos valores mais imediatos da Vida e é por aqui que coincidem a luta feminista e a luta ecologista. (D'Eaubonne, 1974)

Ela também argumentava que "o sistema capitalista é o motor que faz do patriarcado um poder devastador" e que "o socialismo não está livre disso".

A reflexão estava motivada pela destruição do planeta e pelo sistema de dominação absolutamente insustentável, que, a seu ver, tinha origem no patriarcado, na organização de relações sociais que se submetem à natureza, às mulheres e ao feminino. D'Eaubonne propunha que "as mulheres e a natureza hão de unir-se" e discutia como tratar essa relação sem reproduzir a naturalização das identidades de gênero. Foi uma das primeiras a falar na expropriação do tempo feminino e da decisão sobre o próprio corpo quanto à procriação.

D'Eaubonne discordava de Simone de Beauvoir quanto às mulheres serem consideradas cultura, e não natureza. Ela reivindicava a proximidade entre mulheres e natureza, e buscava revalorizar essas práticas, considerando-as de valor universal e vitais para a humanidade. Para ela, essa posição é parte da crítica à modernidade, que submete mulheres e natureza ao mandato da reprodução e do crescimento. A sugestão é criar um movimento mundial pacifista para o controle da natalidade e, portanto, fortalecer a decisão sobre a própria vida.

Ao final do século xx, numerosas pensadoras contribuíram ao desenvolvimento das ideias básicas do primeiro ecofeminismo, que questionou as hierarquias estabelecidas pelo pensamento ocidental patriarcal. Isso passa por enfrentar o militarismo, a guerra, a energia nuclear e a degradação ambiental como manifestações de uma cultura sexista que desvaloriza a natureza. Esse conceito desenvolveu as primeiras gerações de crítica sistêmica ecologista e inspirou milhares de mulheres e movimentos, sobretudo na América do Norte.

## 4.2. Essencialismo e construtivismo

Segundo a antropóloga espanhola Yayo Herrero, do grupo Ecologistas en Acción [Ecologistas em ação], o desenvolvimento do ecofeminismo prefigura duas grandes tendências. Por um lado, a corrente *essencialista*, que associa a mulher com a natureza e, portanto, conclui que a defesa da natureza é inerente à identidade de gênero. Sua base está no feminismo da alemã Petra Kelly, que avalia que as mulheres têm uma capacidade inata de interpelar o sistema por sua capacidade de dar à luz. Por outro lado, o grupo *construtivista* insiste que a "relação mulheres-natureza se sustenta na construção social que passa pela atribuição de papéis que dão origem à divisão sexual do trabalho, à distribuição do poder e à propriedade nas sociedades patriarcais" (Herrero, 2013). É isso, na visão dessa vertente, que desperta a consciência ecofeminista nas mulheres.

Yayo Herrero entende que, nessa evolução, é possível distinguir:

- os ecofeminismos essencialistas que criticam a subordinação feminina e da natureza e propõem reivindicar o ser mulher como alternativa para salvar o planeta;
- os ecofeminismos do Sul, que criticam o patriarcado e o "mau desenvolvimento", e consideram as mulheres como portadoras do respeito à vida; e
- os ecofeminismos construtivistas, que consideram que a relação das mulheres com a natureza obedece a uma construção social e está vinculada à divisão sexual do trabalho que sustenta as sociedades patriarcais capitalistas.

O certo é que, desde diferentes correntes e com olhares diversos, os ecofeminismos se desenvolveram e se enriqueceram mutuamente, dando lugar à construção de uma vertente de pensamento e ação política em constante evolução e que compartilha basicamente uma visão sistêmica da relação interdependente entre seres humanos e natureza.

De fato, essas reflexões profundas que mencionamos, ainda que iniciais, foram a base também para que estudiosas e pensadoras dos anos 1970 e 1980 avançassem na teoria sobre a construção do patriarcado e sua relação com a natureza, analisando com mais profundidade a correlação com a desvalorização do feminino. É o caso da antropóloga Sherry Ortner, dos Estados Unidos, que afirma que "o coletivo feminino havia sido desvalorizado por exercer funções como a criação e o cozinhar, que operam sobre um elemento previamente desvalorizado: a Natureza" (Puleo, 2009).

Outro exemplo é a obra de Riane Eisler (2003), pensadora austríaca-norte-americana que, em 1987, descreveu, mediante a análise da antropologia e da história, como o patriarcado arrebatou o poder das mulheres e estabeleceu, culturalmente, uma dupla régua epistêmica para valorizar e considerar as mulheres e a natureza como inferiores, numa sociedade hierárquica e depredadora.

## 4.3. O ecofeminismo do Sul e a crítica do "mau desenvolvimento"

O ecofeminismo é, também, uma prática muito antiga que vai se reconstruindo nas lutas sociais e na defesa da natureza. Na década de 1970, surgiram movimentos no Sul global com diferentes características, que recobraram, precisamente, a luta ancestral das mulheres pela vida. O movimento Chipko, do Himalaia, é dos mais emblemáticos: apareceu na Índia como resposta às políticas agroflorestais que implicavam um massivo desmatamento. As mulheres resistiram abraçando as árvores, como haviam feito suas antecessoras.

Era o ressurgimento de um movimento de resistência que havia nascido mais de duzentos anos antes, quando, em 1730, Amrita Devi, mulher de uma comunidade da religião beshnoi — que proibia caçar animais e desmatar —, perdeu a vida resistindo ao desflorestamento junto a suas filhas e mais de 350 aldeãs.

Em 1974, outra mulher hindu, Gaura Devi, articulou as mulheres de seu povoado para proteger 2.500 árvores próximas ao rio Alaknanda. Essa ação impediu o desmatamento e obrigou o governo do estado de Uttar Pradesh a proibir devastações na região, com moratória de dez anos. Essa maneira de cuidar de florestas, abraçando árvores, converteu-se em uma forma pacífica e emblemática de resistência. Outra conquista do movimento foi haver vencido o Right Livelihood Award — o Nobel Alternativo —, que transcendeu o mundo pela mensagem de cuidado, saberes tradicionais e não violência. Também serviu de inspiração para uma das mulheres mais representativas do ecofeminismo, Vandana Shiva (1995):

A violência contra a natureza, que parece inerente ao modelo de desenvolvimento dominante, associa-se também à violência contra as mulheres que dependem da natureza para o sustento delas, de suas famílias e de suas sociedades.

Esse ecofeminismo critica a razão dicotômica e androcêntrica do desenvolvimento, e reivindica a relação das mulheres com a luta pelo respeito à vida. Incorpora a análise do colonialismo como peça fundamental para a compreensão da destruição dos bens naturais e o desenvolvimento do capitalismo. Esse feminismo define como "mau desenvolvimento" o modelo econômico ocidental imposto aos países do chamado Terceiro Mundo, que exacerba a expropriação e a destruição da natureza para beneficiar as elites do Norte.

Vandana Shiva e a alemã Maria Mies desenvolveram, entre os anos 1980 e 1990, as teorias e os postulados mais elaborados do ecofeminismo, aprofundando a compreensão de como a lógica dicotômica do sistema dominante do capitalismo obedece a uma visão patriarcal:

> A revolução científica da Europa transformou a natureza de Mãe Terra em uma máquina e uma fonte de matérias-primas. Com essa transformação, foram eliminadas todas as limitações éticas e cognitivas que impediam violentá-la e explorá-la. A revolução industrial converteu a economia em um processo de produção de bens para fazer o máximo de lucros. (Mies & Shiva, 1993)

A teoria de ambas considera as mulheres portadoras do respeito à vida e entende o "mau desenvolvimento" como causa principal da expropriação do conhecimento, da natureza e da riqueza das mulheres e das populações indígenas.

O mau desenvolvimento é mau desenvolvimento em pensamento e ação. Na prática, essa perspectiva fragmentada, reducionista e dualista viola a integridade e a harmonia do homem com a natureza e a harmonia entre o homem e a mulher. Rompe a unidade cooperativa do masculino e do feminino, e despoja o homem do princípio feminino, por sobre a natureza e a mulher, e separado de ambas. A violência com a natureza, da qual são sintomas a crise ecológica e a violência com a mulher, da qual é sintoma sua submissão e exploração, surgem desse subjugamento do princípio feminino. (Shiva, 1995)

Além disso, essa corrente é muito crítica a respeito da dicotomia reducionista da sociedade industrial, que produz uma forma violenta e excludente de conhecer e de pensar, sob a qual a natureza é enquadrada em categorias de produtividade e não produtividade — e, portanto, passível de intervenção, inclusive com a ideia de transformá-la e fazê-la "crescer". Shiva põe foco em como a ciência moderna nasce para controlar a natureza. Por isso, afirma que a ciência nascida com Francis Bacon no século XVI, que prometeu criar uma "raça abençoada de heróis e super-homens que dominariam a terra e a sociedade", é um "projeto patriarcal" no qual "havia uma dicotomia entre macho e fêmea, espírito e matéria, o objetivo e o subjetivo, o racional e o emocional [...] [e predominava] a comprovação de hipóteses mediante manipulações controladas da natureza [...] com claras metáforas sexistas" (*idem*).

Shiva sustenta que o reducionismo patriarcal é violento em várias esferas:

- contra as mulheres, os povos tribais e os camponeses, pela divisão entre especialistas e não especialistas, que os desapropria do conhecimento;

- contra a natureza, quando a ciência moderna destrói sua integridade tanto no processo de percepção como na manipulação;
- contra os benefícios do conhecimento, dado que a violência contra a natureza recai sobre o povo; e
- contra o conhecimento em si, pois a ciência reducionista suprime e falsifica os fatos e declara irracionais os conhecimentos tradicionais.

Shiva questiona, além disso, os indicadores de crescimento tradicionais que regem a sociedade moderna, que na realidade são medidas de destruição. Essa é uma reflexão que vincula a autora aos diferentes ativismos, à academia e à mobilizações sociais que questionaram a globalização do capitalismo nas décadas de 1980 e 1990.

Esse feminismo essencialista conclui que a sustentabilidade e o cuidado da vida se dão por qualidades das mulheres na relação com a natureza, pois são produtoras de vida. Segundo Maria Mies, as mulheres "fazem as coisas crescerem":

> Sua interação com a natureza e com o meio externo foi um processo recíproco. Entendem que seus corpos e a natureza são produtivos da mesma maneira. [...] Ainda que se apropriem da natureza, não se constitui uma relação de dominação e propriedade. A mulher coopera com seu corpo e com a terra para "deixar crescer e fazer crescer". [...] Como produtoras de nova vida, também se converteram nas primeiras produtoras de meios de subsistência da primeira economia produtiva, com produção e criação de relações sociais, sociedade e história.

## 4.4. Ecofeminismo ecumênico e espiritualidade

O ecofeminismo latino-americano se originou parcialmente nas reflexões de mulheres religiosas progressistas que trabalham com comunidades indígenas e em bairros pobres, marcados pela confrontação concreta das mulheres com a violência e a pobreza.

A teóloga brasileira Ivone Gebara é uma das principais representantes. Ela começou a questionar o fato de a Teologia da Libertação não ser sensível às questões do corpo, da sexualidade, do aborto e do trabalho doméstico, e levantou a culpabilização como um mecanismo de domínio das mulheres, mantidas em submissão e pobreza. Assim, desenvolveu uma proposta que olhava sobretudo para as enormes injustiças de gênero e contra o corpo, objeto de "perdão" pela hierarquia eclesiástica até então pouco questionado pela corrente teológica revolucionária.

> O feminismo foi para mim um encontro, uma consciência, um encontro com mulheres do meio popular, um mal-estar, uma aprendizagem. E de repente comecei a falar e não sei como me tornei teóloga feminista. Não posso dizer que foi uma determinada mulher quem me fez mudar, mas um movimento, uma consciência criada por jornais, livros, artigos, e pelo viver cotidiano em um bairro, por ver como vivem as pessoas. (Gebara, 2000)

A autora mantém o postulado do princípio feminino para o cuidado e a reprodução da vida, e questiona como a ideologia dominante e, em particular, o esquema teológico tradicional, reforçam a opressão e uma visão androcêntrica da espiritualidade a partir da "estrutura do Deus criador, do Filho único que sofreu por nós". Esse esquema obriga as mulheres a conceber que o sacrifício é válido porque pode ser justificado como uma forma de contribuir com a sociedade baseada na culpa.

Ícones femininos da luta social latino-americana como a boliviana Domitila Chungara, movimentos por terra e moradia, movimentos marianos: todos eles confluem nessa visão que reivindica o compromisso e a luta das mulheres por uma transformação social, questionando as bases da pressão das religiões e a grande propriedade através da naturalização dos papéis da mulher e da pobreza.

> Existe uma ideia de natureza que temos de mudar. O sacerdócio das mulheres não é essencial, mas que se reconheça seu direito a pensar, atuar, ter liderança, dizer coisas diferentes dos homens, e que sejam reconhecidas por isso. Há que criar novas relações na sociedade. Isso significa que também há que repensar os conteúdos teológicos, porque há coisas que já não se pode sustentar, que foram válidas em um mundo teocêntrico e medieval, onde tudo era organizado desde uma imagem de Deus como "pai todo poderoso, criador do céu e da Terra". (*Idem*)

O ecofeminismo da espiritualidade e da teologia deu muito o que falar à igreja e suscitou uma reação da hierarquia eclesiástica com vistas a criticar, a partir da doutrina mais conservadora, a rebelião de mulheres teólogas e religiosas comprometidas com o feminismo.

## 4.5. Ecofeminismo e extrativismo: meu corpo, meu território

Há uma corrente mais ampla que se formou na América Latina e em outras partes do mundo marcadas por conflitos socioambientais, em especial regiões devastadas pela superexploração de recursos naturais. Essa vertente tem a participação de mulheres que reagem fundamentalmente defendendo o território e, a partir disso, denunciam a violência da exploração ambiental desdobrada em questões de gênero.

> No contexto das atuais resistências ao extrativismo, a linguagem de valorização das mulheres calcada na cultura do cuidado tende a expressar um *ethos* pró-comunitário potencialmente radical, que concebe as relações sociais a partir de outra lógica e outra racionalidade, questionando o modo de ser capitalista desde o reconhecimento da ecodependência e da valorização do trabalho de reprodução do social. (Svampa, 2015)

Militantes destacadas como Berta Cáceres (líder hondurenha e vencedora do Prêmio Goldman assassinada por mercenários defensores dos interesses de uma transnacional de megarrepresas em 2016) e Máxima Acuña (defensora dos lagos andinos peruanos contra o avanço da mineração, e que por isso enfrenta ações de hostilidade) são representantes desta corrente que encarna a ampla resistência das comunidades sob a ótica dos feminismos latino-americanos.

Essa corrente propõe caminhos que questionam a divisão entre essencialismo e construtivismo, porque entende que a devastação ambiental e o extrativismo prejudicam as mulheres no cotidiano, aprofundando e exacerbando sua vulnerabilidade. Não somente as oprime com uma carga maior de trabalho, como coletar água e alimentar a família, mas também as coloca em contextos de maior debilidade diante da violência machista, do abuso, da prostituição e dos feminicídios.

Ainda que se possa dizer que esta é uma abordagem essencialista, ela ao mesmo tempo transcende o essencialismo e questiona o sistema no terreno econômico e político, buscando a construção de uma relação diferente com a natureza, como bem demonstra o Comunicado Ecofeminista contra o Extrativismo Mineiro de Orinoquia, na Venezuela, em 2014:

> Desde o imperativo ético-político que nos demanda essa transição do modelo rentista-extrativista ao Bem Viver e à defesa dos direitos da Terra, nós, grupos de mulheres organizadas, ecofeministas em resistência e luta contra o avassalador sistema-mundo do capitalismo predatório, analisamos e expomos nossas melhores razões para alertar sobre as consequências a que levariam o desenvolvimento do Motor Mineiro e os projetos extrativistas de mineração em grande escala, propostos pelo governo venezuelano a partir do chamado Arco Mineiro do Orinoco [...] As mulheres indígenas e mestiças não foram simples vítimas. Como resultado de sua própria experiência, as mulheres são donas de uma maior consciência e visão de que a deterioração da natureza e de seus recursos desemboca na deterioração da vida. Muitas se opuseram valentemente a essa constante coação sexista e se converteram nas principais protagonistas da luta por construir, sob risco das próprias vidas, um tipo diferente de relação social e outro modelo de relação com a natureza e os seres vivos, como demonstram as figuras de Berta Cáceres e Máxima Acuña.

Essas redes que refletem e propõem um ativismo radical para defender os territórios se multiplicam em várias partes do mundo. Articulam-se e se conectam, são mutuamente solidárias e militam em um cenário complexo que prevê enfrentar a repressão e a morte. Isso se dá de forma especial na América Latina, onde nasceu o slogan "meu corpo, meu território". Esse postulado adquire uma dimensão política que interpela os poderes machistas, violentos, e as dinâmicas de desapropriação que se estabeleceram nas últimas décadas com o desenvolvimento de um capitalismo depredador com a cumplicidade de vários governos, inclusive os chamados "progressistas".

## 4.6. Interseccionalidade, o peso da classe social e a etnicidade

Outros enfoques buscaram ir além do essencialismo. Pensadoras e autoras como a indiana Bina Agarwal e a australiana Val Plumwood entendem que o primordial para uma leitura ecofeminista é considerar a construção das relações sociais e a interação com a natureza como a origem dessa consciência ecológica especial das mulheres. Agarwal não compartilha da posição essencialista de Vandana Shiva, que enfatiza uma base identitária essencialista do ecofeminismo. Ao contrário, considera que essa base se constrói a partir da experiência concreta das mulheres em sua relação com o trabalho, com o território e com a produção.

As reflexões de outras feministas de larga trajetória nas lutas sociais, como Angela Davis, insistem que não se pode generalizar e conceber as identidades e as potencialidades emancipatórias a partir de um essencialismo da natureza feminina. Necessariamente, há que cruzar essa análise com as categorias de classe social, gênero e etnicidade, quando não com territorialidades e faixas etárias. A partir de um olhar construtivista ao qual faz menção Yayo Herrero, enfatiza-se que a divisão sexual do trabalho e a distribuição do poder e da propriedade são os elementos que submetem as mulheres, e todos os ecofeminismos concordam que esses são os componentes da dominação depredadora da natureza.

Marta Pascual (2010) nos diz:

> Não se trataria de exaltar o interiorizado como feminino, de fechar de novo as mulheres no espaço reprodutivo, negando-
> -lhes o acesso à cultura, nem de responsabilizá-las pela enorme tarefa de lutar contra o capital e resgatar a vida no planeta. Trata-se de visibilizar a submissão, denunciar a lógica amoral

do sistema, assinalar responsabilidades, inverter a ordem de prioridades de nosso sistema econômico e corresponsabilizar homens e mulheres em todos os trabalhos necessários para a sobrevivência.

A obra de Val Plumwood insiste que o ecofeminismo é uma construção filosófica, teórica e prática, crítica da racionalidade masculina androcêntrica e que propõe uma interpretação dualista da realidade e das relações sociais. Bem como as ecofeministas de visão construtivista, Plumwood propõe superar os dualismos hierárquicos, desconstruindo a lógica patriarcal e recuperando, pela racionalidade e pela ética dos afetos, os corpos, a interdependência e a relação com o planeta como uma proposta de evolução civilizatória.

## 4.7. Contribuições da economia feminista à sustentabilidade da vida

O ecofeminismo das últimas duas décadas interagiu com a economia feminista recolhendo reflexões e sua construção a partir da análise sobre o trabalho e a sustentabilidade da vida. Desde finais do século XX, e sobretudo a partir da leitura do trabalho doméstico e sua relação econômica, uma diversidade de aportes contribuiu imensamente para o avanço da proposta ecofeminista.

Partindo da análise do trabalho doméstico não remunerado e do trabalho doméstico remunerado em sociedades estratificadas, alertou-se para a invisibilidade desse âmbito tão relevante para a economia e a vida em sociedade. As categorias de trabalho e valor foram incorporadas à reflexão ecofeminista como pontos de partida para compreender a profunda insustentabilidade do sistema atual, no qual o trabalho de reprodução da vida e da sociedade é absolutamente menosprezado.

Silvia Federici,[7] Riane Eisler, Lourdes Benería, Elsa Chaney e Cristina Carrasco, entre outras, são destacadas representantes dessa análise. Entendem a luta das mulheres pelo direito ao trabalho em condições de igualdade como uma reivindicação de primeira hora do ecofeminismo. Essa inclusão não significou necessariamente um melhor status social e, na maioria dos casos, redundou no trabalho doméstico como uma carga adicional e invisível.

Cristina Carrasco entende que, na realidade, trata-se de um conflito entre dois objetivos contraditórios: por um lado, a obtenção de benefícios e, por outro, o cuidado da vida. "Essa tensão é acrescida da dependência do sistema capitalista dos processos de reprodução e de sustentabilidade da vida humana,

---

7   Ver *Calibã e a bruxa: mulheres, corpo e acumulação primitiva* (Elefante, 2017) e *O ponto zero da revolução: reprodução, trabalho doméstico e luta feminista* (Elefante, 2019). [N.E.]

que se realiza fora do âmbito de suas relações e de seu controle direto" (Carrasco, 1999). Tal enfoque ressalta como, para a economia androcêntrica e o sistema capitalista, a reprodução da vida não constitui uma preocupação, já que apenas o que produz valor de troca é visível. "Centrar-se explicitamente na forma como cada sociedade resolve seus problemas de sustentabilidade da vida humana oferece, sem dúvida, uma nova perspectiva da organização social e permite tornar visível toda aquela parte que tende a estar implícita e normalmente inominada" (*idem*).

Riane Eisler, por sua vez, desenvolve uma proposta para mudar as relações de gênero, formula indicadores e propõe uma economia de cuidado, baseada na colaboração dos gêneros em complementaridade solidária.

A contribuição central dessas reflexões é o questionamento da sociedade que se torna insustentável por não reconhecer nem visibilizar o trabalho de reprodução da vida. Mas há matizes e diferenças entre as autoras quanto à abordagem da construção de um sistema de cuidados. Essas diferenças estão voltadas aos processos restaurativos e transicionais da sociedade, pensando em um decrescimento para frear a crise dos limites da natureza ultrapassados pela civilização capitalista. Outras pensadoras estão mais voltadas a desenvolver políticas públicas e indicadores que evidenciem o trabalho de cuidados e o uso do tempo.

Cristina Carrasco entende que a crise dos cuidados vai além da equidade de gênero, levando a questionar o sistema e a economia neoclássica. O elemento central da análise da teoria econômica feminista é o questionamento a uma sociedade insustentável por não reconhecer o trabalho de reprodução da vida e a importância de organizar os cuidados em sociedade. Esse questionamento busca, de alguma maneira, desmontar o poder do capital financeiro, que impõe a valorização exclusiva das atividades humanas vinculadas ao dinheiro e à exploração da natureza.

## 4.8. Alguns desafios pendentes

Um dos grandes desafios é a articulação entre o feminismo da igualdade e o feminismo da diferença, e sua convergência com o ecofeminismo. Disso decorre o questionamento sobre quais alianças podem ser estreitadas com outras correntes do feminismo.

O horizonte de transformação social proposto pelo ecofeminismo é sistêmico. Não tem foco exclusivo na equidade de gênero ou em políticas públicas, mas em levar a contradição até as últimas consequências, abordando as bases estruturais econômicas, filosóficas e relacionais sobre as quais se ergue a opressão de gênero. O ecofeminismo pode contribuir com essas outras correntes do feminismo no aprofundamento da análise sobre a relação entre processos de equidade, exercício de direitos e luta contra a violência, até chegar ao debate sobre mudança sistêmica, transformação estrutural e avanços civilizatórios. É a vinculação de problemas como a discriminação, a desigualdade e a violência com propostas políticas de maior alcance transformador.

Outro diálogo em aberto é entre o ecofeminismo essencialista e o ecofeminismo construtivista. Em princípio, é importante indagar se são realmente duas tendências opostas ou estágios diferentes de um mesmo processo. O ecofeminismo construtivista insiste que a relação mulheres-natureza se sustenta em uma construção histórico-social que passa pela atribuição de papéis que redundam na divisão sexual do trabalho e na distribuição do poder e da propriedade. A corrente essencialista propõe uma interpretação vinculada ao ser mulher, à maternidade e ao paradigma do cuidado com a natureza. É um feminismo que se apoia na qualidade da identidade feminina "cuidadora" da relação entre humanos e natureza.

O certo é que todos os ecofeminismos estão refletindo, evoluindo e construindo teorias, filosofias, visões e propostas de transformação emancipatórias em uma só direção: a destruição do patriarcado, do colonialismo e do capitalismo.

O ecofeminismo essencialista de Vandana Shiva é, de fato, um dos que mais contribui à compreensão da articulação estrutural entre sistema financeiro, expropriação da natureza e patriarcado. Já os ecofeminismos do Sul estão contribuindo ao conceito de corpo-território e à noção de que a violência de gênero é sintoma de uma distopia incentivada pelo capitalismo em aliança com o patriarcado e o colonialismo. São ecofeminismos que estão questionando o sistema de maneira profunda, removendo as bases estruturais.

Por sua vez, os ecofeminismos construtivistas estão colaborando enormemente com teoria e experiências concretas da organização dos cuidados, propostas para transições e democracia energética. São ideias que deverão encontrar-se e convergir com as resistências e as lutas que se dão nos diferentes contextos.

Como afirma Maristella Svampa (2015),

> o ecofeminismo contribui para posicionar o olhar sobre as necessidades sociais, não a partir da carência ou de uma visão miserabilista, mas do resgate da cultura do cuidado como inspiração central para pensar uma sociedade ecológica e socialmente sustentável, por meio de valores como a reciprocidade, a cooperação e a complementaridade.

Nessa reflexão sistêmica, teremos de incluir o balanço dos processos de esquerda e do "socialismo do século XXI", que trazem muitíssimos elementos para dar um salto do essencialismo para um ecofeminismo crítico, profundo.

Outro âmbito de debate, reflexão e diálogo é a relação do ecofeminismo com as transições ecossociais, o Bem Viver, os movimentos pelos comuns e o decrescimento. Este último vem de longa data: dos questionamentos ao industrialismo capitalista e ao "socialismo realmente existente" (leia-se, o industrialismo socialista e insustentável do pós-guerra). As ecofeministas, a partir do olhar construtivista, estão propondo o decrescimento como um horizonte ineludível da humanidade. Yayo Herrero insiste em que, se não organizamos as sociedades de maneira paulatina para as transições energéticas e o uso racional dos recursos, de todos os modos chegaremos a isso, mas de maneira autoritária — e até fascista. A direção em que caminha a sociedade é de suicídio coletivo por não encarar de maneira coerente a crise climática.

As experiências concretas trazidas pelas ecofeministas são de um valor civilizatório imenso, pois exigem um olhar absolutamente distinto sobre a organização social: assinalar a insustentabilidade da sociedade atual e, em vez de aceitar o dogma neoliberal, reconhecer o trabalho de cuidados, de harmonia com a natureza e de solidariedade — ou seja, as sociedades do cuidado da vida e de uma vida que mereça ser vivida.

Em outra frente, a relação do movimento dos comuns com os debates ecofeministas é um desafio importantíssimo para incorporar as reflexões sobre o cuidado e a solidariedade como componentes fundamentais da gestão dos bens comuns. Esses só se tornam viáveis e vitais se transcendem a noção de "propriedade" e de "recursos", incorporando, como muitos estão fazendo, a reflexão sobre a crise ecológica de origem antropocêntrica e a crise da humanidade provocada pelo capitalismo e pelo patriarcado.

É um grande desafio para o ecofeminismo propor a partir dessas experiências, hoje isoladas, caminhos para processos de transição social, energética, econômica e cultural para o desmonte do Estado capitalista que cerceia a capacidade da sociedade de reproduzir a vida.

É preciso ainda considerar os diferentes contextos políticos e econômicos. Uma coisa é o ecofeminismo numa sociedade de bem-estar, na qual os bens públicos estão relativamente menos desmantelados que nas sociedades pobres ou "em desenvolvimento", com fortes sequelas de colonialismo, onde a anomia social, a falta de serviços, a pobreza, o extrativismo e os regimes autoritários podem afetar a prática desse conceito.

## 4.9. Epílogo: abraçar a vida

O diálogo entre feminismo e ecologia está produzindo uma nova sinergia, que se propõe a atuar sobre a realidade sufocante do capitalismo que potencializa e exacerba sistemas muito antigos de opressão. A violência e a destruição vividas em nossos tempos alertam sobre o perigo de desembocar em uma barbárie, com dinâmicas inéditas de expropriação.

Quando olhamos os primeiros questionamentos sobre a insustentabilidade do crescimento econômico infinito, vemos que foram certeiros. No entanto, as armadilhas do imaginário civilizatório desenvolvimentista operaram muito bem como bases culturais de renovação do sistema. O "desenvolvimento sustentável" acabou por se revelar a fórmula que abriu caminhos a uma maior depredação dos territórios, das comunidades e dos ecossistemas.

Parte dessa armadilha reside no fato de que essa fórmula jamais incorporou o "nós", o vínculo entre gêneros, as interdependências, o vínculo humano com a natureza, nem se preocupou em questionar a opressão contra as mulheres como base estrutural. Com isso, a natureza e o ser humano ficaram separados, como entidades isoladas, e a apropriação se impôs como modelo dominante. Transformar só é possível quando se inclui o próprio corpo, criando uma nova epistemologia e uma nova ética da natureza, que nos permitam recuperar o sentido profundo de pertencimento, de empatia, necessário para criar e recriar vida, riqueza, relações, humanidade, conhecimento e cultura.

A restauração e a reparação deveriam ser hoje o novo paradigma de convivência, o novo modelo de civilização rumo ao horizonte do decrescimento. É preciso abandonar o mito do "desenvolvimento sustentável", onde memória e esquecimento se conjugam, para recuperar a energia feminina do cuidado e da rebelião profunda.

Milhares de mulheres estão tomando a palavra e a liderança para sinalizar um novo caminho. Algumas delas caíram pelo trajeto, vítimas de mercenários, mas sua força sobrevive e o ideal de natureza restaurada, capaz de forjar seres humanos iguais, amorosos e empáticos, se faz cada vez mais transcendente.

# Referências bibliográficas

AGARWAL, Bina. "El debate sobre género y medio ambiente: lecciones de la India", em VÁZQUEZ, V. & VELÁSQUEZ, M. *Miradas al Futuro, Hacia la Construcción de Sociedades Sustentables con Equidad de Género*. México: Unam, 2004, pp. 239-80.

BEAUVOIR, Simone. *O segundo sexo*. Rio de Janeiro: Nova Fronteira, 2016.

CARSON, Rachel. *Primavera silenciosa*. São Paulo: Gaia, 2010.

CARRASCO, Cristina; BORDERÍAS, Cristina & TORNS, Teresa. *El trabajo de cuidados: historia, teoría y políticas*. Madri: Los Libros de la Catarata, 2011.

CARRASCO, Cristina. *Mujeres y Economía: nuevas perspectivas para viejos y nuevos problemas*. Barcelona: Icaria, 1999.

COMUNICADO ECOFEMINISTA vs. el extractivismo minero en la Orinoquia. Peru, nov. 2014.

D'EAUBONNE, Françoise. *Le feminisme ou la mort*. França: Horay, 1974.

ECOLOGISTAS EN ACCIÓN. "Tejer la vida en verde y violeta. Vínculos entre ecologismo y feminismo", em *Cuadernos de Ecologistas en Acción*, n. 13, 2008.

EISLER, Riane. *El cáliz y la espada*. Madri: Cuatro Vientos, 1989.

_____. *La verdadera riqueza de las Naciones: creando una economía del cuidado*. La Paz: Fundación Solón & Trenzando Ilusiones, 2007.

GEBARA, Ivone. "Ecofeminismo: algunos desafíos teológicos", em *Alternativas*, n. 16/17, 2000, pp. 173-85.

HERRERO, Yayo. "Miradas Ecofeministas para transitar a un mundo justo y sostenible", em *Revista de Economía Crítica*, n.16, 2013, pp. 278-307.

HERRERO, Yayo & PASCUAL, Marta. "Ecofeminismo, una propuesta para repensar el presente y transitar al futuro", em *Boletín ECOS*, n. 10, jan.-mar. 2010.

MEADOWS, Donella. *The Global Citizen*. Washington: Island, 1972.

MIES, Maria & SHIVA, Vandana. *Ecofeminism*. India: Kali for women, 1993.

OTERO, T. "Incompatibilidad del sistema hegemónico con la vida", em *Alternativas feministas frente a la Crisis*. Bilbao: Gakoa, 2013, pp. 7-20.

OSTROM, Elionor. *The Evolution of Institutions for Collective Action*. Cambridge: Press Sindicate of the University of Cambridge, 2010.

PASCUAL, Marta. "Apuntes sobre ecofeminismo: las mujeres y la tierra", em *World Watch*, n. 30, 2010.

PEREDO BELTRÁN, Elizabeth. *La equidad empieza por casa, hablemos del trabajo del hogar*. La Paz: Tahipamu, 1993.

_____. *Reflexiones sobre la agenda social en América Latina: crisis climática, un desafío para la condición humana y para una ética de la naturaleza*. La Paz: Fundación Solón, 2009.

PULEO, Alice. *Ecofeminismo para otro mundo posible*. Disponível em <http://www.ecologistasenaccion.org/article8728.html>.

_____. "Naturaleza y libertad en el pensamiento de Simone de Beauvoir", em *Revista de Investigaciones Feministas*. Valladolid, 2009.

SHIVA, Vandana. "Abrazar la vida: mujer, ecología y desarrollo", em *Cuadernos Inacabados*. Madri: Horas y Horas, 1995.

SVAMPA, Maristella. "Feminismos del Sur y Ecofeminismo", em *Nueva Sociedad*, n. 256, mar-abr. 2015.

# 5. Direitos da Mãe Terra
Pablo Solón

Os direitos da Mãe Terra são um chamado a abandonar o paradigma antropocêntrico dominante e imaginar uma nova sociedade. No antropocentrismo, os seres humanos se veem como superiores a todos os demais seres e elementos que compõem a Terra, como os únicos que possuem consciência, valores e moral. A humanidade e a natureza são categorias separadas, e a segunda existe em função da sobrevivência e progresso da primeira.

O capitalismo, o produtivismo e o extrativismo estão profundamente enraizados nesse conceito dominante do nosso tempo. Para essas visões, tudo pode ser transformado, mercantilizado, controlado e reparado pelo avanço da tecnologia. Já os direitos da Mãe Terra desafiam essa ideia ao propor a superação do antropocentrismo.

O uso do termo "direitos" faz parecer que se trata de uma proposta essencialmente normativa, jurídica. Porém, vamos muito além da necessidade de um novo marco legal que contemple a natureza. A incorporação no ordenamento jurídico de um município, estado, país ou órgão internacional é um passo muito importante, mas apenas um dos primeiros no longo processo de abandonar o antropocentrismo. O objetivo final é construir uma comunidade da Terra: uma sociedade que compreende o humano e a natureza como um todo.

O reconhecimento dos direitos da natureza e da Mãe Terra no Equador e na Bolívia passou a impressão de que essa proposta é própria da região andina. Mas a realidade é muito mais complexa e, na verdade, os direitos da Mãe Terra são o resultado da confluência de diferentes correntes que se desenvolveram em várias partes do mundo. Poderíamos agrupá-las em quatro: indígena, científica, ética e jurídica. Cada uma representa uma perspectiva particular, que foi interagindo com as outras até formar uma visão alternativa que segue em processo de amadurecimento.

É importante sublinhar que os direitos da Mãe Terra e os da natureza não são exatamente o mesmo. A Mãe Terra é o todo, enquanto a natureza é parte, por isso os direitos da natureza buscam o reconhecimento para os componentes não humanos. De outro modo, os direitos da Mãe Terra aspiram a criar um novo regime de direitos para todos e o todo, no qual obviamente existem diferenças segundo as características de cada um, mas superando a separação entre ser humano e natureza.

Ao longo deste capítulo, repassaremos as diferentes vertentes desse conceito, analisando qual foi a trajetória da institucionalização no Equador e na Bolívia, e, depois, exploraremos alguns dos problemas e dos desafios.

## 5.1. As vertentes

### 5.1.1. A corrente indígena

Os direitos da Mãe Terra refletem a visão dos povos indígenas de muitas partes do mundo, em particular da região andina. É uma concepção de profundo respeito à natureza, segundo a qual tudo na Terra e no cosmos tem vida, ou seja, não há divisão entre seres vivos e seres inertes. Os humanos não são superiores a outros seres e estão conectados com todos os elementos não humanos, longe de serem donos da Terra e das outras formas de vida. Os rios, as montanhas, o ar, as rochas, os glaciares: tudo tem vida. Tudo é parte de um organismo vivo, a Pacha Mama ou a Mãe Terra, que, por sua vez, interage com o Sol e o cosmos. A existência humana depende da harmonia com a natureza, num equilíbrio dinâmico: muda e se move em ciclos e, quando se quebra, causa desgraças.

A partir disso, alguns questionamentos levam aos direitos da Mãe Terra. Por que alguns têm mais que os outros, se todos somos parte do mesmo todo? Por que alguns gozam de proteções e privilégios, enquanto outros são relegados à condição de coisas?

Segundo essa corrente, prosperar como comunidade pressupõe tratar equitativamente e respeitar a todos os seres, sejam animais, plantas, geleiras, bosques, ventos e rios. A visão indígena não fala diretamente de "direitos" porque o conceito jurídico como tal não existe nessas culturas, mas se expressa através de práticas socioculturais, antes do que por regras formais.

## 5.1.2. A corrente científica

Diferentes organizações científicas afirmam que nosso planeta é um sistema autorregulado, com componentes físicos, químicos, biológicos e humanos. Esse sistema é composto pela Terra, pelos oceanos, pela atmosfera e pelos polos, e inclui os ciclos naturais, como o do carbono, o da água e o do nitrogênio. As interações e os processos de retroalimentação são complexos e apresentam múltiplas escalas de variabilidade temporal e espacial. Segundo a Administração Nacional de Aeronáutica e do Espaço dos Estados Unidos (NASA), a vida humana é parte integral do sistema da Terra e afeta esses ciclos.

A sociedade humana não só seria um componente do sistema da Terra, mas, nos últimos séculos, estaria alterando o funcionamento desse sistema em seu conjunto.

> As atividades humanas estão influindo de maneira significativa no meio ambiente da Terra, e não apenas através de emissões de gases de efeito estufa e da mudança climática. As mudanças produzidas pelo homem na superfície terrestre, nos oceanos, nas costas, na atmosfera, na diversidade biológica, no ciclo da água e nos ciclos biogeoquímicos são claramente identificáveis e vão além das variações naturais. A extensão e o impacto das mudanças antropogênicas são comparáveis a algumas das grandes forças da natureza, e muitas delas estão se acelerando. A mudança global é um fato e está ocorrendo agora. (Steffen, 2004)

Essa mudança não pode ser entendida apenas em termos de causa-efeito. As transformações provocadas pelos humanos resultam em múltiplos efeitos, que se amplificam de maneira complexa. Esses efeitos interagem e desencadeiam outras mudanças, de diferente escala, difíceis de entender e ainda muito complicadas de prever.

No presente, as atividades humanas têm o potencial de dar origem a situações inéditas e irreversíveis. Ao longo da existência, a Terra sofreu várias alterações súbitas e radicais. No entanto, essa é a primeira vez que essas mudanças de escala planetária são causadas pela atividade humana, criando condições muito menos acolhedoras para nós mesmos e para outras formas de vida. Para a comunidade científica, o planeta se moveu para muito além da variabilidade natural.

Alguns integrantes dessa vertente extrapolaram a análise do sistema da Terra e defendem uma espécie de marco ético para enfrentar a crise sistêmica. Em 2001, os integrantes do Programa Internacional de Dimensões Humanas da Mudança Ambiental Global (IHDP, na sigla em inglês), o Programa Internacional sobre a Geosfera e a Biosfera (IGBP), o Programa Mundial de Investigações Climáticas (PMIC) e a Diversitas emitiram a Declaração de Amsterdã sobre as Ciências do Sistema da Terra:

> Necessita-se com urgência de um marco ético mundial para o cuidado e o desenvolvimento de estratégias do sistema da Terra. A aceleração das mudanças do meio ambiente devido a causas humanas não é sustentável. Não é possível seguir tratando o sistema da Terra como se fez até agora. Este manejo tem de ser substituído o mais rápido possível por estratégias conscientes de boa gestão que sustentem o meio ambiente da Terra e permitam cumprir as metas de desenvolvimento econômico e social.

Entre 2001 e 2005, um grupo de 1.360 especialistas de 95 países participou da Avaliação de Ecossistemas do Milênio, realizada a pedido das Nações Unidas. Uma das principais conclusões é que as diferentes espécies e os diferentes ecossistemas têm um "valor intrínseco" que significa "algo em si e por si próprio, independentemente de sua utilidade para alguém mais" (Millennium Ecosystem Assessment, 2005).

As ciências da Terra trazem um conjunto de dados e análises que nos colocam frente ao desafio de pensar e construir um novo sistema de gestão do planeta, que permita restabelecer o equilíbrio da Terra. Por isso, a vertente científica é fundamental para os direitos da Mãe Terra, que buscam, precisamente, a preservação e o fortalecimento da comunidade da Terra.

### 5.1.3. A corrente ética

A vertente ética é muito ampla e diversa, com uma série de vozes que advogam por uma melhora ou uma mudança na relação com a natureza a partir de considerações filosóficas, religiosas ou morais.

O pensamento de São Francisco de Assis, por exemplo, faz parte dessa corrente ao advogar pela igualdade de todas as criaturas, em oposição à dominação do homem sobre os animais. Ele chamou o Sol, a terra, a água e o vento de irmãos e irmãs. Hoje, o papa Francisco desenvolve ainda mais esse pensamento: "esse é nosso pecado: explorar a terra e não deixar que nos dê o que tem dentro, com a ajuda de nosso cultivo".

No budismo encontramos perspectivas similares. O décimo-quarto Dalai Lama condena a destruição do meio ambiente e cobra que a humanidade se dê conta de suas obrigações com o planeta:

> Entre milhares de espécies de mamíferos na Terra, os seres humanos são os que têm a maior capacidade de alterar a natureza. Como tal, temos dupla responsabilidade. Moralmente, como seres de inteligência superior, há que cuidar deste mundo. Os outros habitantes do planeta — os insetos e assim por diante — não têm os meios para salvar ou proteger esse mundo. Nossa outra responsabilidade é desfazer a grave degradação ambiental que é fruto da incorreta conduta humana. Contaminamos imprudentemente o planeta com produtos químicos e dejetos nucleares, consumindo de maneira egoísta muitos de seus recursos. A humanidade deve tomar a iniciativa para reparar e proteger o planeta. (Dalai Lama, Quaki & Benson, 2001)

Também integra esse paradigma o pensamento do conservacionista norte-americano Aldo Leopold (1887-1948), que propôs uma nova "ética da terra", um conjunto de limitações autoimpostas à liberdade que derivam do reconhecimento de que "o indivíduo é membro de uma comunidade de partes interdependentes".

> A ética da terra simplesmente amplia os limites da comunidade para incluir o solo, a água, as plantas, os animais ou o que coletivamente denominamos a terra. Uma ética da terra muda o papel do *Homo sapiens*, de conquistador da comunidade da terra a membro pleno e cidadão da mesma. Isso implica o respeito por seus outros companheiros e pela comunidade como tal. (Leopold, 1949)

Nessa mesma linha de pensamento foi lançada, em 2000, a *Carta da Terra*, documento que afirma que "a proteção da vitalidade, diversidade e beleza da terra é um trabalho sagrado", e considera "Responsabilidade Universal" proteger "a única comunidade de vida" com a qual contamos, e que inclui a todos os seres vivos e não vivos do planeta.

A carta abrange um amplo leque de postulados, desde assegurar a sustentabilidade da vida em sua rica diversidade até a necessidade de adotar sistemas de produção alternativos, que "resguardem as capacidades regenerativas da Terra".

Muitos outros pensadores contribuíram para forjar essa corrente, da qual se nutre a visão ética dos direitos da Mãe Terra.

### 5.1.4. A corrente jurídica

Essa vertente recolhe muitos dos elementos mencionados anteriormente e busca integrá-los em novos marcos jurídicos. A interpretação é de que a lei e as formas de governança são construções sociais que evoluem e mudam em função de novas realidades. O direito, como ordem normativa e institucional da conduta humana, não é algo estático. Cada processo de transformação econômica-social é geralmente precedido de mudanças no ordenamento jurídico. Porém, o desafio que temos é realizar uma profunda revolução no marco do Direito, superando o antropocentrismo para tratar de evitar uma situação catastrófica.

Como diz Aldo Leopold (1945), o atual marco legal implicitamente considera os seres humanos como centro e finalidade do universo, e afirma que o universo existe para satisfazer as necessidades e os desejos dos humanos.

A corrente jurídica que alimenta os direitos da Mãe Terra se propõe a desenvolver uma jurisprudência centrada na Terra e um novo marco legal que acolha as propostas das correntes científica, ética e indígena. O australiano Peter Burdon (2010), professor de Direito e promotor dos direitos da natureza, afirma:

A lei é uma criação social e uma conclusão jurídica e, como assinala o filósofo jurista Philip Allot, "a lei não pode ser melhor que a ideia que a sociedade tem de si mesma". Em consequência, não deve nos surpreender que muitos aspectos de nossa legislação reflitam uma visão antropocêntrica da Terra. A lei descreve de maneira significativa a forma na qual uma sociedade se percebe e projeta sua imagem ao mundo. Como toda instituição social em evolução, a lei deve adaptar-se para refletir esse entendimento.

Como repensar o ordenamento jurídico e institucional para permitir o bem-estar da Terra e de todos seus componentes? Como nossos marcos jurídicos e normativos podem refletir o fato de que a natureza tem um valor intrínseco? Como construir uma governança que contribua para prevenir desequilíbrios catastróficos no planeta?

Em busca de uma nova jurisprudência da Terra, o padre e ecoteólogo Thomas Berry (1999) destacou que "todos os direitos foram concedidos aos seres humanos" e que todos os outros modos de existência não têm direitos. Todos os outros componentes não têm valor e só são levados em conta se servem ao humano. Logo, o que não é humano se converte em algo totalmente vulnerável à exploração.

Para avançar, é necessário superar essa concepção do não humano como uma "coleção de objetos" e pensar em termos de uma "comunhão de sujeitos, vivos, não vivos, humanos e não humanos", como diz o teólogo brasileiro Leonardo Boff na *Carta da Terra*, de 2000. A partir disso é necessário questionar a legitimidade de qualquer lei que ultrapasse os limites ecológicos do meio ambiente com a finalidade de satisfazer as necessidades da espécie humana.

O dualismo sujeito-objeto é um padrão-chave no pensamento ocidental, que atribui valor a sujeitos como "eu" e priva de todos os direitos a todos os demais, vistos como meros "objetos". Nessa visão, os sujeitos são capazes de pensar e criar, enquanto todos os demais são apenas recursos, ferramentas ou entorno.

A corrente jurídica propõe, para superar essa noção, uma revolução na maneira como concebemos o Direito. Como expressa Thomas Berry (*idem*),

> para o mundo comercial e industrial, o mundo natural não tem o direito inerente à existência, ao habitat e a cumprir uma missão na grande comunidade de todo o existente. No entanto, não pode haver um futuro sustentável, inclusive para o mundo industrial moderno, a menos que esses direitos inerentes do mundo natural sejam reconhecidos e tenham um status legal. Toda a questão de posse e uso da terra, seja por particulares ou por organizações, deve ser abordada de maneira muito mais profunda do que a sociedade ocidental fez até agora."

## 5.2. O caminho

A proposta dos direitos da natureza começou a se desenvolver na América do Norte e na Europa a partir de perspectivas éticas. Os defensores dos direitos dos animais, como Peter Singer, Tom Regan e Jeremy Bentham, contribuíram ao desenvolvimento dos direitos da Mãe Terra ao questionar o privilégio humano à exclusividade do conceito.

Em 1789, Jeremy Bentham escreveu: "chegará o dia em que o resto da criação animal tomará aqueles direitos que lhe foram negados pela tirania. [...] A pergunta não é se os animais podem raciocinar, tampouco se podem falar, mas se podem sofrer".

Os direitos dos animais provocaram muita resistência e ainda transitam por diferentes processos nas legislações nacionais. No caso da Alemanha, o Código Civil de 2002 estabeleceu, na Seção 90, que "os animais não são coisas. Estão protegidos por estatutos especiais. Eles se regem por disposições que se aplicam às coisas, mas com modificações necessárias, salvo o disposto em contrário".

No entanto, a visão dos direitos da natureza como um todo, mais amplo, começou a se desenvolver na segunda metade do século XX. Nos anos 1970, dois movimentos-chave da corrente jurídica se desenvolveram na Europa e na América do Norte. Um foi a *ecologia profunda*, promovida pelo filósofo norueguês Arne Naess. Outro, a *jurisprudência da Terra*, ou lei selvagem, formulada por Thomas Berry.

## 5.2.1. Ecologia profunda

Arne Naess (1912-2009) distinguiu duas formas diferentes de ecologismo: a ecologia profunda, que questiona as causas estruturais do desequilíbrio do meio ambiente; e a "ecologia oca", que não persegue uma mudança a fundo e frequentemente promove soluções tecnológicas baseadas nos mesmos valores e métodos da economia industrial orientada ao consumo. É o caso, por exemplo, da reciclagem, do incremento na eficiência dos automóveis e das monoculturas orgânicas para exportação.

A ecologia profunda propõe redesenhar de maneira integral todos os nossos sistemas a partir de valores e métodos que realmente conservem a diversidade ecológica e cultural dos sistemas naturais.

Segundo Michael E. Zimmerman:

> A ecologia profunda se baseia em dois princípios básicos. Um é a visão científica de que na Terra todos os sistemas de vida estão inter-relacionados e que o antropocentrismo é uma maneira equivocada de ver as coisas. Os ecologistas profundos dizem que a atitude ecocêntrica é mais consistente com a realidade da natureza da vida na Terra. O segundo componente é o que Arne Naess chama de necessidade de autorrealização humana ("reconectar-se com a Terra"). Em lugar de nos identificarmos com nossos egos ou nossos familiares mais próximos, deveríamos aprender a nos identificar com as árvores, os animais, as plantas e, de fato, com toda a ecosfera. Isso traria uma mudança muito radical de nossa consciência, que faria com que nosso comportamento se tornasse mais coerente com o que a ciência nos diz que é necessário para o bem-estar da vida na Terra. Se nos "reconectarmos com a Terra", não faremos coisas que provocam danos ao planeta, do mesmo modo como nunca cortaríamos nosso próprio dedo.

Naess rechaçou a ideia de classificação dos seres de acordo com seu valor relativo. Por exemplo, os julgamentos sobre se um animal tem alma eterna, se raciocina ou se tem consciência não deveriam ser utilizados para justificar uma suposta superioridade do animal humano. Ele afirma que, do ponto de vista ecológico, "o direito de todas as formas a viver é um direito universal que não pode ser quantificado. Não há uma só espécie viva que tenha mais direito de viver e desenvolver-se que qualquer outra espécie" (Naess, 1973).

A crítica à ecologia profunda se concentrou em algumas propostas específicas. Bill Devall e George Sessions, por exemplo, afirmavam que "o florescimento da vida humana e das culturas requer uma diminuição substancial da população humana". A principal ressalva a esse postulado é que a promoção da redução da natalidade se dirige sobretudo aos países mais pobres, provocando atitudes racistas. Outros teóricos da ecologia profunda, como o australiano Warwick Fox, não partilham dessa visão e consideram que é necessário distinguir entre misantropia (o ódio à humanidade) e não antropocentrismo.

Além disso, outros ecologistas sociais e ecofeministas criticam a ecologia profunda porque não inclui de maneira suficiente a análise das diferentes forças sociais que intervêm na destruição da biosfera. Também há críticas à atribuição de características humanas a organismos não humanos, caindo numa espécie de antropomorfismo.

## 5.2.2. A jurisprudência da Terra

O principal ponto de referência da jurisprudência da Terra não é o planeta em si, mas o universo. Na visão de Thomas Berry,

> o universo é o único texto sem contexto. Todo o demais tem de ser visto no contexto do universo... A história do universo é a história de cada ser individual no universo. A travessia do universo — em permanente evolução e contínua transformação — é a travessia de cada ser individual no universo. Nas árvores podemos ler a história do universo. Tudo o que existe conta a história do universo. Os ventos contam literalmente sua história, não só de maneira figurativa. Sua história está em todas as partes e por isso é muito importante conhecer a história do universo. Se uma pessoa não sabe essa história, não conhece a si mesma e em verdade não sabe nada.

O termo "jurisprudência da Terra" foi cunhado para destacar a necessidade de superar a jurisprudência antropocêntrica. Já a expressão "lei selvagem" reúne e equilibra duas partes diferentes do todo: a civilização e a natureza. Cormac Cullinan (2011) explica o conceito:

> Sei que a "lei selvagem" soa como uma bobeira, uma contradição em si mesma. A lei, afinal, tem a intenção de obrigar, de restringir, regularizar e civilizar. As normas jurídicas, respaldadas pela força, foram desenhadas para limitar, moldar e ajustar a conduta humana aos jardins da civilização. Pelo contrário, o selvagem é sinônimo de descuidado, bárbaro, sem refinamento, não civilizado, desenfreado, caprichoso, desordenado, irregular, fora de controle, não convencional, indisciplinado, apaixonado, violento e revoltoso. [...] Uma lei selvagem é uma lei para regular a conduta humana com o fim

de proteger a integridade da Terra e de todas suas espécies. Uma lei selvagem requer uma mudança profunda na relação dos seres humanos com o mundo natural, passando da exploração ao exercício da democracia com os outros seres. Se todos somos membros da comunidade da Terra, então nossos direitos devem ser equilibrados com os das plantas, dos animais, dos rios e dos ecossistemas. Em um mundo governado pela lei selvagem, seriam ilegais a destruição e a exploração do mundo natural para benefício humano. Os seres humanos teriam proibido destruir deliberadamente o funcionamento dos ecossistemas ou conduzir outras espécies à extinção.

## 5.3. Por que direitos?

Que tipo de direitos tem a natureza? São similares aos direitos humanos? Uma das principais respostas a essas perguntas está nos *Dez princípios da jurisprudência da Terra*, escritos por Berry. Na visão dele, os direitos nascem junto com a existência. Os seres possuem direitos não porque tenham consciência ou status moral, mas simplesmente porque existem. Esse existir só pode ser explicado pela interação entre os diferentes elementos de um todo. Tudo está relacionado. Não existe isolamento. E todos compartilham da mesma fonte de existência: o universo.

i. Os direitos nascem onde se origina a existência.
ii. O universo é autorreferente em sua existência e autonormativo no funcionamento. É a referência principal no devir e no acionar de todas as outras formas derivadas de seres.
iii. O universo é uma comunhão de sujeitos, e não de objetos a serem usados. Cada componente do universo é sujeito de direitos.
iv. O mundo natural obtém seus direitos da mesma fonte da qual os humanos: do universo.
v. Cada componente da comunidade da Terra tem três direitos: ser, existir e cumprir sua função nos processos em constante renovação.
vi. Todos os direitos são específicos e particulares a cada espécie ou processo. Os rios têm os direitos dos rios. As aves têm os direitos das aves. E assim por diante. A diferença está na qualidade, e não na quantidade: os direitos de um inseto não têm valor para uma árvore.
vii. Os direitos humanos não devem conspurcar os direitos de outros modos de ser ou de existir. Os direitos de propriedade humanos não são absolutos, mas simplesmente

uma relação especial entre um determinado "proprietário" humano e um pedaço particular de "propriedade", de forma que ambos possam cumprir seu papel na grande comunidade da existência.

viii. Na medida em que as espécies apenas existem de forma individual, os direitos se referem a essas individualidades e nunca podem abarcar de maneira genérica as espécies. Os direitos se baseiam nas relações intrínsecas entre os diversos componentes da Terra. O planeta é uma única comunidade.

ix. Cada componente dessa comunidade é imediatamente dependente de todos os demais membros da comunidade para a própria sobrevivência. Essa manutenção mútua, que inclui a relação predador-presa, corresponde ao papel que cada um tem dentro da comunidade.

x. Os seres humanos, para sua realização pessoal, têm não só a necessidade, mas o direito de acesso ao mundo natural para satisfazer suas necessidades físicas e intelectuais, para desenvolver a beleza da imaginação humana e a intimidade das emoções humanas.

Na visão de Christopher D. Stone (2010), professor de Direito na Universidade do Sul da Califórnia, "dizer que a natureza deve ter direitos não significa que deve ter todos os direitos imagináveis, tampouco os mesmos direitos que têm os seres humanos. Além disso, não se trata de dizer que tudo o que existe na natureza deve ter os mesmos direitos".

Os direitos da natureza se aplicam somente no contexto de interação humana e implicam deveres sobre os humanos. A ideia é que as pessoas, que estão em condições de atuar, contribuam à promoção e à preservação dos direitos (Burdon, 2011).

## 5.3.1. O desenvolvimento dos textos legais

As propostas de jurisprudência da Terra começaram a ser incorporadas a textos legais no século XXI. Em 2006, com a ajuda do Fundo de Defesa Legal para a Comunidade e o Meio Ambiente, a cidade de Barnstead, no estado norte-americano de New Hampshire, aprovou uma norma que afirma que "os ecossistemas naturais possuem direitos inalienáveis e fundamentais para existir e prosperar dentro da cidade. Os ecossistemas devem incluir, mas não se limitar a, zonas pantanosas, riachos, rios, aquíferos e outros sistemas de água".

Leis similares foram adotadas em outras cidades dos Estados Unidos, atuando em áreas específicas da natureza, sem aplicação geral. São normas que empoderam comunidades locais, permitindo que assumam o papel de guardiãs da natureza, pois os danos causados não se restringem àquilo que afeta os humanos.

> Sob as atuais leis ambientais, uma pessoa tem de demonstrar que foi afetada para poder ir ao Judiciário e proteger a natureza. Isso significa que há que demonstrar o dano pessoal sofrido pela derrubada da floresta, a contaminação de um rio ou a extração da água. As reparações são outorgadas a essa pessoa, e não ao ecossistema que foi destruído. À raiz do derramamento da British Petroleum, o único dano indenizável levado em conta pelo sistema legal é o prejuízo econômico causado aos que não podem mais utilizar os ecossistemas do Golfo do México. [...] Em um sistema de direitos da natureza, o rio tem direito a fluir, os peixes e outras espécies do rio têm direito a regenerar-se e evoluir, e a flora e a fauna que dependem do rio têm direito a desenvolver-se. É o equilíbrio ecológico natural desse habitat que se protege. Assim como o leão caça o antílope como parte do ciclo natural da vida, o reconhecimento dos direitos da

natureza não põe fim à pesca ou a outras atividades humanas. Na realidade, as coloca no contexto de uma relação saudável onde nossas ações não põem em risco o equilíbrio do sistema do qual dependemos. (Margil & Biggs, 2010)

## 5.3.2. A Constituição do Equador

A conquista mais importante em termos legais é, sem dúvida, a Constituição do Equador aprovada em 2008, cujo capítulo 7 desenvolve os direitos da natureza:

> Art. 71 — A natureza ou Pacha Mama, onde se reproduz e realiza a vida, tem direito a que se respeite integralmente sua existência e a manutenção e a regeneração de seus ciclos vitais, estrutura, funções e processos evolutivos. Toda pessoa, comunidade, povo ou nacionalidade poderá exigir à autoridade pública o cumprimento dos direitos da natureza.

> Art. 72 — A natureza tem direito à restauração. Essa restauração será independente da obrigação que têm o Estado e as pessoas naturais ou jurídicas de indenizar os indivíduos e coletivos que dependam dos sistemas naturais afetados.

> Art. 73 — O Estado aplicará medidas de precaução e restrição para todas as atividades que possam conduzir à extinção das espécies, à destruição dos ecossistemas ou à alteração permanente dos ciclos naturais. Proíbe-se a introdução de organismos ou material orgânico e inorgânico que possa alterar de maneira definitiva o patrimônio genético nacional.

O texto é claramente resultado da combinação das correntes indígena e jurídica. Fala da natureza como sinônimo de Pacha Mama, mas acaba por não abarcar a visão holística do todo, humano e não humano, que traz esse conceito na língua nativa. Os direitos da natureza reconhecidos pela Constituição são os direitos a existir, à integridade, a manter os ciclos vitais e a regenerar-se.

Porém, não houve a inclusão de mecanismos legais no país para fazer cumprir esses direitos, o que dá ao Estado a flexibilidade de interpretar o texto segundo os "interesses nacionais" do momento. Portanto, grande parte de sua aplicação depende unicamente da vontade institucional.

### 5.3.3. O caso da Bolívia

A Constituição da Bolívia não inclui os direitos da natureza, demonstrando maior preocupação pelos direitos ambientais em favor das gerações presentes e futuras dos seres humanos. O aspecto mais avançado do texto é o artigo 34, que define que "qualquer pessoa, a título individual ou em representação de uma coletividade, está habilitada a exercitar as ações legais em defesa do direito ao meio ambiente". Esse ponto figura também na Carta equatoriana.

A atitude mais importante na Bolívia se deu após a entrada em vigência da Constituição e é fruto de uma resposta internacional às mudanças climáticas. Em 2010, foi realizada em Cochabamba a Conferência Mundial dos Povos sobre a Mudança Climática e os Direitos da Mãe Terra, com a participação de 35 mil pessoas e mais de mil delegados de cem países. O evento resultou no Projeto de Declaração Universal sobre os Direitos da Mãe Terra, que afirma que "todos somos parte da Mãe Terra, uma comunidade indivisível vital de seres interdependentes e inter-relacionados com um destino comum", e que "em uma comunidade de vida interdependente não é possível reconhecer direitos somente aos seres humanos sem provocar um desequilíbrio na Mãe Terra". Além disso, o texto sustenta que "para garantir os direitos humanos é necessário reconhecer e defender os direitos da Mãe Terra e de todos os seres que a compõem".

Assim, "os direitos inerentes da Mãe Terra são inalienáveis enquanto derivam da mesma fonte de existência". Os titulares de direitos são todos os "seres orgânicos e inorgânicos", e esses direitos são "específicos para sua condição e apropriados para seu papel e sua função dentro das comunidades nas quais existem".

Nessa lista estão o direito à vida e à existência; ao respeito; à regeneração da biocapacidade e à continuação de seus ciclos e processos vitais livres de alterações humanas; a manter sua identidade e integridade como seres diferenciados, autorregulados e inter-relacionados; à água; ao ar limpo; à saúde integral; a estar livre de contaminação, poluição e dejetos tóxicos ou radioativos; a não ser alterada geneticamente e modificada em sua estrutura; e a uma restauração plena e pronta.

A declaração foi incorporada e aprovada como lei nacional na Bolívia no final de 2010, e em simultâneo apresentada às Nações Unidas e à Convenção-Quadro das Nações Unidas sobre a Mudança do Clima (UNFCCC).

A legislação boliviana também incorpora um novo avanço ao criar uma Defensoria da Mãe Terra, cuja missão é velar pelo cumprimento desses direitos. No entanto, essa iniciativa nunca saiu do papel.

## 5.4. Os desafios

As iniciativas pelos direitos da natureza estão florescendo em diferentes regiões. No caso dos Estados Unidos, em nível municipal segue a luta por normas que os reconheçam. É o mesmo caso da Europa, com iniciativas no Parlamento e no Conselho Europeu. Na Nova Zelândia, o governo firmou um acordo com o povo Maori estabelecendo que o rio Whanganui será reconhecido como uma pessoa em caso de conflito legal. Nas Filipinas e em outros países, disposições afirmam que a saúde dos povos e do meio ambiente é igualmente protegida.

Nas Nações Unidas, a cada ano se realiza um diálogo sobre "Harmonia com a Natureza", abordando as propostas dos direitos da Mãe Terra em diferentes perspectivas. Além disso, tanto na ONU como na Corte Penal Internacional há um pedido de grupos da sociedade civil pelo reconhecimento do crime de ecocídio. Desde 2014, existe um Tribunal Ético pelos Direitos da Natureza, promovido pela Aliança Global pelos Direitos da Natureza.

Os direitos da Mãe Terra ganharam protagonismo após as experiências de Equador e Bolívia, mas a falha de implementação em ambos os países os levou a uma situação muito complexa, com várias de suas bases sendo violadas pelos próprios governos que os promoveram. A lista de contestações inclui o rechaço ao pagamento por serviços ambientais e à economia verde, o aprofundamento da discussão sobre os direitos de propriedade que se antepõem claramente no caminho dos direitos da Mãe Terra, e a necessidade de avançar a uma democracia da comunidade da Terra.

## 5.4.1. Cumprimento e implementação

Sem dúvida, um dos maiores desafios é a implementação exatamente onde esses direitos são reconhecidos. Não há casos emblemáticos no Equador e na Bolívia para demonstrar a aplicação positiva da norma, muito pelo contrário: há dilações, retrocessos e violações.

Em 2011, o governo da Bolívia decidiu construir uma estrada que partia em dois o Território Indígena e Parque Nacional Isiboro-Sécure (Tipnis). Esse território cobre 12,3 quilômetros quadrados de área amazônica e andina, encontra-se em uma das reservas de biodiversidade mais ricas da América Latina, abriga centenas de espécies de fauna e flora, e é lar dos povos indígenas Mojeño, Chimán e Yuracaré. Graças à resistência desses povos e à mobilização de vários setores da sociedade, o governo interrompeu o projeto, não sem antes lançar mão de atos de repressão e violência. Em nenhum momento, durante o conflito, as autoridades levaram em conta os direitos da Mãe Terra, afetados pela construção da rodovia.

Já o governo do Equador prometeu restringir a exploração de petróleo na área conhecida como ITT, delimitada pelos rios Ishpingo, Tambococha e Tiputini, dentro do Parque Nacional Yasuní, na Amazônia. Essa decisão foi apresentada, de início, como um passo realmente positivo para a preservação dos direitos da natureza em uma região de grande biodiversidade. No entanto, em 2013 o então presidente Rafael Correa anunciou que iria explorar a reserva porque não havia conseguido apoio econômico suficiente da comunidade internacional para manter o petróleo no subsolo. Todas as tentativas de referendo para que a população se manifestasse sobre o assunto foram bloqueadas.

Esse caso deixou claro que não se pode condicionar o respeito aos direitos da natureza à existência de uma compensação financeira. Assim como os direitos humanos devem estar garantidos em toda circunstância, o mesmo deve valer para os direitos da natureza.

Nos dois países, há muitos outros projetos de mineração, petróleo, desmatamento, energia nuclear e transgênicos, todos promovidos pelo poder público. Não houve nenhum processo oficial de avaliação de como seriam afetados os direitos da natureza e quais medidas deveriam ser adotadas. Entre o discurso e as práticas desses governos, há uma evidente contradição.

No entanto, o fato de que esses direitos sejam legalmente reconhecidos e muito conhecidos pela população permite que diferentes povos indígenas, organizações sociais e ambientais desenvolvam ações reivindicando e reclamando seu cumprimento.

### 5.4.2. A ameaça do pagamento por serviços ambientais

Uma coisa é falar em serviços ambientais de uma empresa de limpeza das ruas e dos espaços públicos. Outra, muito diferente, é usar essa expressão para se referir a funções da natureza com o propósito de mensurá-las e dar-lhes um preço. Isso está ocorrendo na chamada "economia verde", que parte da premissa correta de que "a natureza possui um valor intrínseco" para logo transformá-lo em valor monetário que permita "compensações" no mercado de "serviços ambientais". A ideia é compensar a destruição da natureza numa parte do mundo com a compra de bônus obtidos de um projeto em outra parte.

O melhor exemplo disso é a iniciativa REDD (Redução de Emissões por Desmatamento e Degradação Florestal), que postula, por exemplo, que os transportes aéreos, em lugar de reduzir de maneira efetiva suas emissões de gases de efeito estufa, comprem créditos de carbono de projetos de conservação de florestas.

Esse conceito representa a financeirização da natureza, em caráter especulativo, que aprofundará ainda mais os desequilíbrios do sistema da Terra. Em nível de biodiversidade, a preservação de uma espécie não pode jamais compensar a destruição de outra. Os direitos da natureza não podem de nenhuma maneira ser garantidos pela lógica do mercado, na qual empresas contaminantes compram uma permissão para manter atividades nocivas ao ambiente. A ativista canadense Maude Barlow (2010) assinala:

> O pagamento por serviços ambientais busca colocar um preço aos bens ecológicos (ar limpo, água, solo etc.) e aos serviços ambientais, como a purificação da água, a polinização dos cultivos e o sequestro de carbono. Um mercado de pagamento por serviços ambientais implica um contrato entre um "titular" e um "consumidor" de um serviço ambiental que termina convertendo esse serviço em um direito de propriedade privada sobre o meio ambiente. Esse sistema privatiza a natureza, seja um pântano, um lago, um bosque ou uma montanha, e assenta as bases para a acumulação privada da natureza por aqueles suficientemente ricos para comprar, acumular, vender e comercializar suas funções. Atualmente, governos do Norte e corporações privadas estão estudando parcerias público-privadas para estabelecer projetos lucrativos no Sul.

## 5.4.3. A propriedade privada

Uma das principais manifestações do antropocentrismo nos marcos normativos jurídicos dos países é o conceito de propriedade, que veio muito antes do reconhecimento dos direitos humanos. Uma propriedade pode ser vendida, emprestada, doada, dividida, hipotecada e herdada. Para que exista uma propriedade, o objeto da posse tem de ser identificado como uma "coisa" sem nenhum tipo de direito, ou, em todo caso, ter menos direitos que seu proprietário. A propriedade entre cidadãos que têm igualdade de direitos não era aceitável na Grécia antiga, por exemplo. Com a finalidade de ser transformado em objeto de propriedade, o outro teve de ser despojado de direitos pela guerra e pela conquista, ou nascido escravo. Na atualidade, a relação jurídica dominante entre humanos e natureza é a propriedade. As leis são estabelecidas para garantir os direitos de propriedade sobre a terra.

Independente de ser privada, estatal ou pública, a propriedade é sempre de humanos sobre certas "coisas". Nem tudo da natureza foi convertido em propriedade, já que para sê-lo requer-se que possa ser delimitada, escassa e capaz de ser levada ao mercado. A propriedade fragmenta a natureza em recursos que na verdade jamais estão dissociados.

Logo, a contradição central nunca se deu entre os direitos humanos e os da Mãe Terra, mas entre os direitos da natureza e os de propriedade. Peter Burdon afirma:

> Na sociedade ocidental, a normativa em torno da propriedade define algumas das ideias centrais sobre nosso lugar na natureza. Muitas dessas ideias estão tão arraigadas que raramente pensamos duas vezes. A "ideia" dominante é que a propriedade privada é um direito individual ou absoluto sobre

uma coisa, protegido pela vontade do Estado. Nossa casa é nosso castelo, nossa zona de domínio pessoal onde "fazemos as regras". Nossa concepção jurídica da propriedade nos diz também que a terra pode se dividir em diferentes tipos de contratos ou documentos jurídicos que possuem os indivíduos em sua relação de um com o outro.

Para que possamos desenvolver e contar efetivamente com um novo marco jurídico legal, que não seja antropocêntrico, temos de superar, redefinir e limitar o conceito de propriedade. Os direitos da Mãe Terra só podem florescer se os direitos da propriedade forem recortados e existir uma ecossociedade que não esteja governada pela lógica do capital. No caso de Equador e Bolívia, de novo, não houve mudança significativa nesse tocante.

### 5.4.4. Para além dos direitos

Se os direitos da Mãe Terra e da natureza nascem de uma crítica profunda ao antropocentrismo, por que essas visões recorreram à utilização de um conceito tão antropocêntrico quanto os direitos? Se os humanos construíram direitos para governar a si próprios, por que atribuí-los à natureza em vez de construir outro tipo de ordenamento jurídico para evitar a destruição do meio ambiente?

Thomas Berry não estava de acordo com a linguagem dos direitos, mas reconhecia que "era o melhor que havia para começar". A ideia foi tentar usar um conceito central do ordenamento jurídico vigente para conseguir restabelecer certo equilíbrio do sistema pelo reconhecimento de direitos a uma parte que até então não os tinha. Como contrapor os direitos de propriedade, sobretudo das grandes empresas, se ao mesmo tempo não se reconhece que a natureza tem direitos? Falar de responsabilidade e obrigação dos seres humanos e das empresas poderia ser outro caminho, mas isso não questionaria o antropocentrismo — e deixaria a natureza sempre em condição de inferioridade.

O objetivo principal da jurisprudência da Terra nunca foi acabar como letra morta em textos legais. A intenção é avançar à construção de uma sociedade da Terra. Por isso, a visão de direitos não deveria ficar restrita a um modelo jurídico. O desafio do reconhecimento e da aplicação efetiva dos direitos da natureza é um passo importante, mas insuficiente. A recuperação do equilíbrio do planeta demanda mecanismos e regras internacionais. Assim, o desafio é desenvolver formas de Democracia da Terra em nível nacional, regional e mundial que tomem em consideração o todo.

Thomas Berry dizia: "a perda da imaginação e a perda da natureza são a mesma coisa. Se um se perde, o outro se perde". Cormac Cullinan, na mesma linha, destaca que o objetivo do movimento pelos direitos da Mãe Terra é "fomentar a diversidade criativa, em lugar de impor a uniformidade", e "abrir espaços para que diferentes enfoques não convencionais possam surgir, florescer, seguir seu curso e morrer".

# Referências bibliográficas

BARLOW, Maude. *Building the Case for the Universal Declaration of The Rights of Mother Earth*. Canada: Council of Canadians; Fundación Pachamama & Global Exchange, 2010.

BENTHAM, Jeremy. *Uma introdução aos princípios da moral e da legislação*. São Paulo: Abril Cultural, 1984.

BERRY, Thomas. *The Great Work*. Nova York: Three Rivers Press, 1999.

BURDON, Peter. *Exploring Wild Law, The philosophy of Earth Jurisprudence*. Kent Town: Wakefield Press, 2010.

\_\_\_\_\_. "Earth Rights: The Theory", em *IUCN Academy of environmental law*, 2011.

CULLINAN, Cormac. *Wild Law: A Manifesto for Earth Justice*. Totnes: Green, 2011.

DALAI LAMA, QUAKI, F. & BENSON, A. *Imagine All the People: A Conversation with the Dalai Lama on Money, Politics, and Life As It Could Be*. Boston: Wisdom Publisher, 2001.

DRENGSON, Alan. *Some Thought on the Deep Ecology Movement*. Foundation for Deep Ecology. Disponível em <http://www.deepecology.org/deepecology.htm>.

LEOPOLD, Aldo. *A Sand County Almanac*. Nova York: Oxford University Press, 1949.

MARGIL, Marli & BIGGS, Shannon. *A New Paradigm for Nature. Turning our Values into Law*. Canada: Council of Canadians; Fundación Pachamama & Global Exchange, 2010.

MILLENNIUM Ecosystem Assessment. *Ecosystems and Human Well-being: Synthesis*. Washington: Island Press, 2005.

NAESS, Arne. "The Shallow and the Deep, Long-Range Ecology Movement", em *Inquiry*, v. 16, n. 1-4, pp. 95-100, 1973.

STEFFEN, Will et al. *Global Change and the Earth System: A Planet Under Pressure*, Executive Summary. Suécia: IGBP Secretariat & Royal Swedish Academy of Sciences, 2004.

STONE, Christopher. *Should Trees have Standing?*. Nova York: Oxford University Press, 2010.

# 6. Desglobalização
Pablo Solón

Desglobalizar-se não significa se isolar ou defender uma autarquia, mas impulsionar uma integração mundial diferente, que não esteja dominada pelo capital. É uma alternativa para pensar e construir uma integração que coloque no centro os povos e a natureza.

A globalização que temos hoje não é um processo de crescente interdependência e integração tornado possível graças ao avanço das comunicações e da internet. É um sinônimo de mundialização. Um processo de integração acelerada do capital, da produção e dos mercados, que engloba todas as esferas da vida em prol de aumentar a taxa de lucro.

Segundo o acadêmico e ambientalista filipino Walden Bello e o grupo Focus on the Global South, que cunharam o termo desglobalização, o objetivo não é se retirar da economia mundial, mas desencadear um processo de reestruturação do sistema econômico e político que fortaleça a capacidade das economias locais e nacionais, em lugar de degradá-las. Desglobalizar-se é questionar o processo dominado pela lógica do capital e de uma suposta racionalidade econômica que erode a capacidade de decisão das pessoas e dos Estados. É começar a pensar e a construir uma integração em função das necessidades dos povos, das nações, das comunidades e dos ecossistemas.

À semelhança do decrescimento, a desglobalização nos convida a imaginar uma sociedade de prosperidade sem um crescimento que degrade a natureza, e a pensar numa mundialização que não seja para os bancos e as transnacionais.

Essa proposta abarca três processos intimamente ligados. O primeiro, compreender o devir da globalização e os diferentes momentos pelos quais atravessa. O segundo, desconstruir, confrontar, resistir, frear e travar a expansão da globalização. O terceiro, construir alternativas a esse processo de captura do mundo pelo capital.

## 6.1. Compreender o processo da globalização

Na opinião de Walden Bello, a globalização teve duas grandes etapas. A primeira, do século XIX até a Primeira Guerra Mundial, em 1914. A segunda, dos anos 1980 até hoje. Entre essas duas grandes fases existiu, de 1914 a 1980, um domínio de economias capitalistas nacionais com um importante grau de intervenção do Estado e uma economia internacional com fortes restrições em fluxos comerciais e de capital.

A nova fase da globalização começou no final dos anos 1970, com o neoliberalismo e o Consenso de Washington. A ideologia neoliberal postula que o centro está no mercado e na concorrência, que premia os empreendimentos eficientes e rentáveis, enquanto castiga empresas e negócios obsoletos. Para que o mercado cumpra sua função é necessário, por um lado, retirar travas e obstáculos que não permitem que mercadorias, serviços e capitais fluam livremente e, por outro, limitar o papel do Estado a nível social, produtivo, comercial, financeiro e ambiental.

Tudo o que freia a concorrência é contrário à liberdade do indivíduo de consumir, inovar e investir naquilo que lhe dá mais benefícios e satisfação. A desigualdade que decorre da concorrência é uma recompensa para os eficientes e, em longo prazo, garante um crescimento que beneficia o conjunto da sociedade, ainda que de maneira sempre desigual.

Para o neoliberalismo não existem cidadãos, mas consumidores, que se realizam à medida que ampliam a capacidade de consumir. O progresso e a modernidade estão associados ao consumo e ao incremento da produtividade, e não ao cuidado do ser humano ou da natureza.

Essa ideologia da modernidade calcada no consumo e no produtivismo ilimitado é tão forte que consegue penetrar até mesmo em comunidades indígenas, que antes tinham como horizonte viver em equilíbrio consigo e com a natureza.

As políticas neoliberais adotam medidas orientadas a:

- diminuir o Estado, privatizar empresas públicas, diminuir o gasto, reduzir impostos sobre mercadorias e cortar subsídios sociais. Em síntese, desmantelar os Estados em prol dos mercados;
- reduzir os controles sobre o fluxo de capitais e as atividades financeiras;
- impulsionar mecanismos e acordos supranacionais que garantam investimentos estrangeiros acima da soberania estatal;
- promover acordos de liberalização comercial que compreendem bens, serviços, investimentos, compras públicas, políticas de concorrência, direitos de propriedade intelectual e um conjunto de disposições que conflitam os direitos do capital com os direitos trabalhistas e ambientais;
- derrubar e flexibilizar as conquistas laborais e sociais; eestimular a financeirização da natureza e da vida, criando novos mercados especulativos para a realização do capital.

Desde as origens, o neoliberalismo nunca foi aplicado de maneira uniforme em todos os países. A implementação no Reino Unido, nos Estados Unidos e no Chile sempre se deu no marco de particularidades nacionais, como, por exemplo, o enorme orçamento de defesa norte-americano ou a manutenção da presença militar na indústria de cobre chilena. Nunca existiu um neoliberalismo puro. Segmentos poderosos nacionais ou resistências sociais sempre surgiram, dando características únicas aos processos. Para isso, o neoliberalismo sempre foi bastante flexível e recorreu a formas de adaptação muito habilidosas, que o permitiram sobreviver e inclusive expandir-se diante de nacionalizações de empresas ou renegociações de acordos comerciais.

O neoliberalismo não é coerente com seus próprios postulados. Em relação aos direitos de propriedade intelectual, por exemplo, promove um regime protecionista das patentes controladas por grandes empresas. Nos investimentos, favorece estrangeiros em detrimento de empresários nacionais. E, em termos de livre-circulação, concentra-se somente nas mercadorias e nos capitais, abandonando à própria sorte as pessoas e a força de trabalho. Deixar de lado o livre-trânsito das pessoas é a prova mais contundente de que a globalização neoliberal não persegue uma integração em favor do ser humano.

O avanço do neoliberalismo parecia incontível depois da queda do Muro de Berlim e da dissolução da União Soviética. Alguns, inclusive, vaticinavam o estabelecimento de uma ordem mundial regida por organizações internacionais, como o Fundo Monetário Internacional (FMI), o Banco Mundial, a Organização Mundial do Comércio (OMC) e as corporações transnacionais. Porém, ao final do século XX os efeitos devastadores desse sistema se manifestaram, e deram início a um processo cada vez mais amplo de resistência à globalização. Do otimismo passamos à crise do México e à crise asiática, em 1997, à recessão da Argentina, entre 1998 e 2002, e à crise de 2007 dos Estados Unidos, que se estendeu à Europa e às economias emergentes sem que se encontrasse uma solução.

A globalização neoliberal produziu a substituição das crises cíclicas do capitalismo por uma crise crônica, que, longe de provocar a implosão do capitalismo, resultou num processo ainda maior de concentração de riqueza. O capitalismo neoliberal provoca e se alimenta da crise, com a multiplicação dos lucros no mercado financeiro.

A liberalização comercial contribuiu à migração do

capital aonde as condições laborais e ambientais eram mais precárias, provocando a perda de milhões de empregos. Os ajustes estruturais promovidos pelo FMI e pelo Banco Mundial agravaram o saqueio em vários países e desencadearam um endividamento externo insustentável. A perda de empregos, de moradia e de conquistas sociais golpeou amplos setores da população.

Importantes greves e mobilizações foram capazes de frear esse avanço. Muitas foram derrotadas. Outras obtiveram triunfos parciais, como em Seattle, em 1999, contra a OMC, e a campanha de resistência à Área de Livre-Comércio das Américas (Alca), em 2005.

O descontentamento foi tão grande que na América Latina surgiram governos com discursos antineoliberais ou de afirmação de certo grau de soberania frente ao capital transnacional. Em seus primeiros anos, alguns desses governos aplicaram medidas de controle ou regulação sobre o capital financeiro, renegociaram ou frearam acordos de livre-comércio, denunciaram tratados de investimentos, nacionalizaram empresas e desenvolveram diferentes programas sociais e assistenciais que melhoraram as condições socioeconômicas de milhões de pessoas. Surgiram processos de integração, como a União de Nações Sul-americanas (Unasul), a Comunidade de Estados Latino-Americanos e Caribenhos (Celac) e a Alternativa Bolivariana dos Povos de Nossa América (Alba), que permitiram certo grau de autonomia política em relação aos Estados Unidos.

O problema é que essas medidas se basearam num reforço do extrativismo, beneficiado pelos altos preços internacionais de matérias-primas e *commodities*. Quando a crise crônica da economia mundial foi atingindo os países emergentes e minou o *boom* dos preços, as economias desses países começaram a enfrentar sérios problemas e o descontentamento da população foi canalizado pelo renascer de forças neoliberais.

O processo de resistência também se deu no Occupy

Wall Street, na Primavera Árabe, com o Syriza, na Grécia, com os Indignados e o Podemos, na Espanha, e em muitos outros movimentos ao redor do mundo. Essa resistência à globalização neoliberal tem sequência na tentativa de Bernie Sanders em se candidatar à Casa Branca pelo Partido Democrata e nas dezenas de milhares de pessoas que foram às ruas para manifestar-se contra as medidas do presidente dos Estados Unidos, Donald Trump, que afetaram imigrantes, mulheres, o meio ambiente, a liberdade de informação, a saúde e o Estado de direito.

Esses processos de mobilização social e política, que inclusive chegaram a garantir governos com grande apoio popular, não foram capazes de criar uma alternativa estrutural. As medidas implementadas pelos governos progressistas da América Latina não romperam com o imaginário de modernidade do consumo neoliberal e reforçaram um extrativismo que, ainda que em muitos casos controlado pelo Estado, é totalmente funcional à globalização. Dirigentes sociais nos governos foram capturados pela lógica do poder e optaram por um pragmatismo que deixou no papel propostas radicais, como o Bem Viver e os direitos da Mãe Terra. Com o passar dos anos, novos setores emergentes, parasitários do Estado, desencadearam formas de acumulação calcadas na corrupção.

Depois de mais de uma década de governos progressistas, assistimos ao retorno de gestões neoliberais com a administração direta da grande burguesia. Os "progressistas" que sobrevivem o fazem às custas do recrudescimento do extrativismo, da imposição de megaprojetos e da aplicação de medidas restritivas e, em muitos casos, autoritárias, que só aprofundam a insatisfação popular.

## 6.2. Nova fase do processo de globalização?

A nova etapa da globalização neoliberal pode ser caracterizada da seguinte maneira:

- *A crise do capitalismo é crônica*. Entramos em um período de crise contínua, que começa a destruir pouco a pouco a divisão entre "desenvolvidos" e "em desenvolvimento". Agora, bolsões de pobreza convivem lado a lado com bolhas de concentração de riqueza. O capitalismo se retroalimenta dessa crise, com lucros assombrosos para certos setores. Estamos no começo do capitalismo do caos, que não só se aproveita de crises ambientais, sociais, econômicas e bélicas, como as provoca de maneira constante para se perpetuar.
- *O capitalismo está alterando o sistema da Terra*. O meio ambiente já não é afetado apenas em nível local ou nacional. Estamos desfazendo uma série de equilíbrios que, há mais de onze mil anos, permitiram o desenvolvimento da agricultura. O capitalismo não é um sistema que se autorregula, e está em um processo de reconfiguração inédito em um planeta finito que começa a entrar numa situação de desequilíbrio ecológico.
- *Uma nova revolução tecnológica, com grandes perigos e oportunidades*. Alguns a chamam de quarta revolução industrial e a diferenciam das anteriores (o vapor, a eletricidade e a eletrônica-informática) porque está marcada pela biotecnologia e pela automatização. Essa disrupção tecnológica permitirá armazenar eletricidade e impulsionará a geração de energia solar e eólica, bem como a produção de veículos elétricos. Em simultâneo, agravará as desigualdades e o desemprego, e beneficiará em particular setores e países que estão em condições de inovar. Um dos maiores riscos

é a tentação de utilizar essas tecnologias para controlar a mudança climática por meio da geoengenharia, ou promover a biologia sintética para criar formas de vida que possam ser patenteadas.

- *O aprofundamento das disputas e dos conflitos comerciais e econômicos.* A emergência de governos nacionalistas de direita não freia o processo de globalização neoliberal, mas o exacerba em suas contradições e em seus conflitos. Donald Trump não romperá com a essência desse sistema. Enquanto critica a migração de capitais norte-americanos a outros países, mantém negócios fora dos Estados Unidos e aproveita a liberalização do comércio para aumentar os lucros. O que ele busca é reajustar e renegociar algumas políticas de liberalização comercial para reposicionar a economia, sobretudo em relação à China, e diminuir o grande déficit comercial com o México. A aplicação de medidas alfandegárias protecionistas desencadeará guerras comerciais e tensões inéditas. Qualificar o governo Trump como simplesmente nacionalista de direita é ocultar sua profunda essência neoliberal. O que temos são diferentes tipos de governos nacionalistas neoliberais, que só tornam mais explosiva essa fase da globalização com suas propostas absurdas, como a construção de muros nas fronteiras entre países.

- *O agravamento do intervencionismo e dos conflitos bélicos.* Os Estados Unidos já não são a potência econômica dominante, mas seguem como a principal potência militar. O país tem um papel preponderante nessa seara e atuará com alianças, disputas e intervenções, buscando minar governos que não estejam sob sua esfera enquanto ensaia relações que até há pouco pareciam inverossímeis. O mapa geopolítico das últimas décadas tende a mudar, e enfrentaremos situações inesperadas pela justaposição de disputas econômicas e geopolíticas.

- *O sufocamento da democracia e a expansão do autoritarismo, da xenofobia, da misoginia e do racismo*. Os nacionalismos neoliberais tendem a desviar o descontentamento da população contra migrantes, mulheres, LGBT, negros, indígenas, dependentes químicos e todos os que podem ser qualificados como ameaça. A restrição de direitos civis, políticos, humanos, econômicos, sociais e culturais está em curso em diferentes partes do planeta. A democracia liberal está sendo substituída por um autoritarismo nascido do voto, mas que não respeita o ordenamento jurídico.
- *A emergência de formas amplas e diversas de resistência social*. A expansão do autoritarismo está provocando importantes processos de resistência espontânea, intensos e extensos. A convergência de movimentos e indivíduos cria novos processos de articulação e solidariedade. Voltando a Trump, a ofensiva em múltiplas frentes provoca resistências inéditas e processos de construção de movimentos, redes, alianças e organizações. O destino dessa nova fase de globalização depende sobretudo de como se configurarão esses processos de resistência social, das vitórias que venham a obter, do desenvolvimento de verdadeiras alternativas políticas e econômicas ao neoliberalismo, e de como poderá se desenvolver uma democracia real que não se esgote ao menor sinal de enfraquecimento da mobilização nas ruas.

Muitos desses elementos já estiveram presentes em outros momentos do capitalismo. No entanto, seu grau de intensidade e de convergência explosiva com outros que recém emergiram inaugura uma nova fase da globalização, de alta complexidade e conflitividade, marcada por grandes perigos e grandes oportunidades.

## 6.3. Descontruir a globalização

Na visão de Walden Bello, a desconstrução da globalização é necessária para pensar na reconstrução de uma integração que esteja a serviço da humanidade e da vida em geral. Uma mudança social efetiva passa por debilitar o domínio dos sistemas antigos, minar sua hegemonia e desarticular várias de suas regras e instituições.

Para que as alternativas floresçam é necessário deslegitimar, deter, agravar as contradições e decompor tanto a ideologia como as instituições da globalização encarnadas no FMI, no Banco Mundial, na OMC e nos tratados de livre-comércio.

Esse processo teve vitórias importantes contra a Alca e contra a OMC para frear a negociação da liberalização comercial na Conferência Ministerial de Bali, na Indonésia, em 2013. Porém, a lição clara é de que todas essas organizações têm uma grande capacidade de adaptação, capturando os elementos de crítica para relançar a ofensiva. Depois de sucessivas derrotas na tentativa de privatização dos serviços públicos de água, o Banco Mundial reempacotou a iniciativa em uma proposta mais inteligente e perigosa, as parcerias público-privadas. Na mesma linha segue a crise climática e ambiental, numa nova tentativa de financeirização da natureza.

Também a liberalização comercial teve sequência com tratados de livre-comércio e de investimentos em nível bilateral e sub-regional. A resistência a esses processos se torna mais complexa com a chegada de governos nacionalistas neoliberais, como o de Trump, que se retiram de acordos de livre-comércio — caso do TPP, a Parceria Transpacífica, firmado por doze governos depois de uma década de negociações — enquanto renegociam os já existentes, como o Acordo de Livre-Comércio da América do Norte (Nafta), vigente desde 1994 e que envolve os Estados Unidos, México e Canadá.

O processo de crise e reconfiguração do capitalismo tem ecoado nos movimentos sociais no mundo todo. As estratégias de desconstrução da globalização exitosas no passado já não têm o mesmo impacto. O Fórum Social Mundial e outras redes antiglobalizantes perderam protagonismo. No entanto, a emergência de iniciativas, ações, lutas, debates e alternativas locais mantém amplitude, mostrando que as sementes de outros mundos possíveis, pelos quais estamos pelejando, começam a germinar.

Na última década, passamos das lutas globais a uma fase de lutas nacionais e locais. Alguns movimentos sociais formaram partidos que chegaram a ganhar eleições. O devir dessas experiências de intervenção política faz necessário encarar a mais ampla reflexão sobre o poder dos movimentos sociais, sobre o neoliberalismo e o extrativismo, e sobre outras questões necessárias para enfrentar de maneira mais efetiva a globalização.

O surgimento de governos progressistas na América Latina ajudou a promover diferentes iniciativas de desconstrução da globalização, mas a perda de autonomia das organizações sociais perante esses governos redundou em fraquezas.

A aparição de novos movimentos, como o Occupy, os Indignados e a Primavera Árabe, foi muito importante, mas com resultados muito diversos e, em alguns casos, passageiros. Em outros, deu origem a instrumentos políticos, como na Espanha e na Grécia, e em outros, ainda, teve desenlaces muito contraditórios — caso do Egito.

De outra parte, é necessário rever a estratégia de apoio geral aos países em "vias de desenvolvimento" em oposição aos países "desenvolvidos". Por detrás dos primeiros se encontram novas elites e corporações que se beneficiam e lucram com o "direito ao desenvolvimento" dessas nações. Muitas estatais do Sul se portam como empresas privadas na relação com os recursos naturais e os direitos laborais.

A luta contra a OMC e os tratados de livre-comércio sempre esteve marcada pela utilização das contradições entre países capitalistas e diferentes setores da burguesia. Agora, com a emergência dos nacionalismos neoliberais, que antepõem seu país ao resto do mundo, abrem-se novas contradições que devem ser exploradas, mas sem perder de vista que se trata de uma disputa entre diferentes setores do capital, tentados a remodelar a globalização em prol de interesses particulares.

Precisamos olhar para esse processo além de sua dimensão comercial. É possível que se freie um acordo comercial enquanto se agravam o saqueio de recursos naturais, a perda de conquistas sociais e a degradação de direitos fundamentais. Por isso, restringir a luta contra a globalização a um dos componentes do neoliberalismo é um grande erro. O fundamental é promover convergências que superem campanhas isoladas ao redor de questões pontuais e que encarem os elementos constitutivos dessa nova fase da globalização, articulando de maneira efetiva o mundial, o regional, o nacional, o local e o individual.

## 6.4. Alternativas

O cerne da desglobalização reside na promoção de novas formas de integração mundial e regional que preservem e permitam o florescimento da vida em suas múltiplas dimensões. No princípio, as propostas estavam centradas mais em o que deveriam fazer os Estados nacionais para preservar a soberania e a capacidade de decisão. Hoje, está claro que não se pode limitar a resistência ao acionar de Estados que, a bem da verdade, foram funcionais ao processo de globalização.

Uma das mais importantes propostas da desglobalização é a desfronteirização para permitir a livre-circulação das pessoas, sem importar nacionalidade, religião, cultura, condição econômica, gênero ou etnia. Logo, uma das principais demandas é acabar com os muros e as proibições ao livre-trânsito. Um mundo desglobalizado é solidário com toda vítima de violência, desemprego, despojo das fontes de sobrevivência e desastres naturais. Sem fraternidade não é possível construir uma integração mundial, assim como a promoção da unidade na diversidade é essencial.

Em outro aspecto, a desglobalização implica uma mudança profunda de nossa relação com o sistema da Terra para reconhecer e respeitar os limites e os ciclos vitais da natureza, assumindo que nenhuma atividade econômica, geopolítica ou tecnológica pode agravar o desequilíbrio com o qual já sofremos. A desglobalização só é possível se descarbonizarmos a economia, se frearmos o desmatamento e a destruição da biodiversidade e se cuidarmos da água. Trata-se de colocar a dimensão humana e ambiental à frente do processo de integração.

Esse processo não é contrário ao comércio e à troca de produtos e serviços, mas pressupõe que isso não deve se dar às custas das comunidades e das economias locais e nacionais, provocando um grau de especialização que ao final implode a diversidade essencial à vida. Para isso precisamos abraçar o princípio da subsidiariedade, que prevê que toda decisão política ou econômica se dá no nível de governo mais próximo ao problema. Quem conhece a realidade local, e será o primeiro em sofrer os efeitos de qualquer decisão, deve ser o primeiro a opinar. Isso leva à constatação de que a desglobalização é impossível sem uma democracia real. As decisões estratégias em nível político, econômico e ambiental devem realizar-se com a mais ampla participação, e não deixadas nas mãos dos mercados ou dos tecnocratas do Estado.

A produção de uma comunidade, região ou país deve estar fundamentalmente dirigida a atender às necessidades de sua população, e não orientada à exportação. A economia não pode se basear em um extrativismo que deteriora ainda mais os ecossistemas da Terra.

As regras comerciais não podem ser uniformes. Não se pode colocar tubarões para lutar contra sardinhas. Portanto, as regras devem ser assimétricas para favorecer as economias menores, os países que tiveram a economia e a agricultura destroçadas pelo grande capital transnacional, o colonialismo e o intervencionismo. Tarifas e subsídios devem ser utilizados para proteger economias locais da importação de mercadorias subvencionadas pelas grandes corporações, com preços artificialmente baixos.

A produção de alimentos não pode estar submetida às regras do mercado. As alternativas à globalização caminham em consonância com a soberania alimentar proposta pela Via Campesina, que aglutina duzentos milhões de camponeses em todo o mundo. Segundo a Declaração de Nyéléni, aprovada no Primeiro Fórum Internacional para a Soberania Alimentar, realizado no Mali em 2007, a soberania alimentar é o direito dos povos a alimentos nutritivos e culturalmente adequados, acessíveis, produzidos de forma sustentável e ecológica, e o direito de decidir pelo seu próprio sistema alimentar e produtivo. Isto coloca aqueles que produzem, distribuem e consomem alimentos no coração dos sistemas e políticas alimentares, acima das exigências dos mercados e das empresas. Defende os interesses das gerações atuais e futuras. Oferece-nos uma estratégia para resistir e desmantelar o comércio livre e corporativo e o regime alimentar atual; orientar prioritariamente os sistemas alimentares, agrícolas, pastoris e de pesca para as economias locais e os mercados locais e nacionais; outorga o poder aos camponeses, à agricultura familiar, à pesca artesanal e ao pastoreio tradicional; coloca a produção alimentar, a distribuição e o consumo como bases para a sustentabilidade do meio ambiente, social e econômica; promove o comércio transparente, de forma a garantir condições de vida dignas para todos os povos e o direito dos consumidores de controlarem a própria alimentação e nutrição; e garante que os direitos de acesso e a gestão da nossa terra, territórios, águas, sementes, animais e a biodiversidade estejam nas mãos daqueles que produzem os alimentos. A soberania alimentar supõe novas relações sociais, livres de opressão e desigualdades entre homens e mulheres, grupos étnicos, classes sociais e gerações.

A desglobalização parte de um conjunto de experiências que estão se desenvolvendo no mundo em termos de agricultura, produção, comunicações, informação e várias outras áreas. As alternativas não estão por vir: já estão presentes em diferentes níveis. No entanto, como diz Walden Bello (2013), "muitas dessas alternativas enfrentaram grandes dificuldades e sérios problemas para manter-se à altura de seus objetivos originais porque o sistema de mercado está dominado por grandes empresas transnacionais".

Nessa medida, a desglobalização requer, além da defesa dessas experiências locais, o desenvolvimento de novos mecanismos, formas de organização e colaboração que permitam fazer frente às forças do capital.

No nível dos Estados nacionais foram produzidas certas iniciativas inspiradas nos propósitos da desglobalização:

- a decisão de Bolívia, Venezuela e Equador de deixar o Centro Internacional para a Resolução de Disputas sobre Investimentos do Banco Mundial;
- a nova Constituição do Estado Plurinacional da Bolívia, que estabelece as bases para a denúncia de todos os tratados bilaterais de investimentos firmados pelo país;
- o processo de revisão, denúncia ou não renovação dos tratados bilaterais de investimentos e o questionamento a cláusulas de solução de controvérsias entre investidores e Estados em acordos comerciais; e
- a renegociação e a substituição, em 2009, do Tratado de Livre-Comércio entre Bolívia e Equador por um acordo comercial apenas de bens e serviços no qual se eliminam os capítulos sobre propriedade intelectual, investimentos e compras pelo setor público.

No entanto, a experiência das últimas três décadas mostra que alternativas parciais e pontuais não podem conviver com a globalização, acabando por ficar encurraladas, distorcidas ou cooptadas. A desglobalização é essencialmente anticapitalista porque não se pode querer uma integração para a vida no marco do capitalismo. Persegue, assim, um amplo processo de redistribuição das fontes da vida hoje fortemente concentradas. Isso implica medidas impositivas, controles financeiros, expropriações, nacionalizações, uma profunda reforma agrária e urbana, a eliminação dos produtos financeiros derivados e dos paraísos fiscais, e processos ampliados de controle e socialização dos grandes capitais.

A sociedade tem de possuir e controlar democraticamente o sistema financeiro, e implementar um sistema monetário internacional capaz de acabar com a supremacia do dólar. É preciso cancelar a dívida que hoje sufoca os povos e que foi imposta para beneficiar interesses privados, além de estabelecer sistemas de crédito justos, soberanos e transparentes.

A desglobalização não pode florescer sem a tomada e a transformação do poder estatal. Esse processo de transição combina reformas e revoluções em diferentes níveis, nos quais o indicador de avanço é dado pelo empoderamento e pela participação real da população na construção do presente e do futuro. Democratizar a gestão da propriedade estatal das empresas públicas, fortalecer os bens comuns que existem e desenvolver outros para transformar consumidores em produtores, fortalecer a auto-organização e a autogestão da sociedade, punir a corrupção e o nepotismo são passos essenciais para que essa mudança não se estanque ou retroceda.

As mudanças locais e nacionais devem confluir até novos e mais amplos processos de integração, baseados na complementaridade, e não no mercado. Afinal, a única forma de um país avançar na construção de um modelo alternativo é na aliança com outras nações.

Em um mundo cada vez mais multipolar, há diferentes processos que tornam mais agudas as contradições da globalização, mas que em si não questionam sua essência neoliberal. São processos de integração promovidos pelas burguesias nacionais na disputa por uma fração do mercado e dos recursos naturais. É o caso do BRICS, formado por Brasil, Rússia, Índia, China e África do Sul, que, ainda que por vezes possa adotar medidas progressivas e questionar a hegemonia de Estados Unidos e Europa, não é uma alternativa real à globalização neoliberal. Não podemos cair no pensamento simplista de que "todo inimigo do inimigo é meu amigo". Hoje não há um só poder econômico dominante.

A Alba, liderada pelo então presidente da Venezuela, Hugo Chávez, tentou ser um processo diferente, baseado em complementaridade, mas não teve o êxito desejado. Por um lado, ancorou-se no extrativismo. Por outro, incentivou uma lógica rentista que erodiu a capacidade de autodeterminação dos movimentos sociais. Definitivamente, a auto-organização é fundamental para superar os padrões consumistas e os imaginários de modernidade que constituem a força mais poderosa e invisível do neoliberalismo.

As instituições internacionais que hoje dominam a globalização não são reformáveis. É preciso destruí-las e substituí-las por estruturas criadas para servir aos interesses da humanidade e ao equilíbrio dos ecossistemas. O processo de deslocamento da velha institucionalidade dependerá muito desses mecanismos alternativos em nível regional e internacional, capazes de ampliar a democracia real.

As alternativas à globalização não podem ser encaradas apenas em nível econômico, e menos ainda em caráter comercial. A desglobalização tem múltiplas dimensões políticas, socioculturais, de gênero e ambientais. Um dos maiores desafios é forjar acordos e mecanismos internacionais realmente vinculantes, que permitam dar conta da crise climática de acordo com critérios científicos.

A desglobalização não é uma substituição ao modelo homogeneizante. É justamente o contrário: abraçar a diversidade, incentivar uma integração que respeita e promove as múltiplas visões e formas de autodeterminação. Está longe de ser uma proposta acabada, e exige ser alimentada por diferentes perspectivas para criar uma integração para os povos e a natureza.

# Referências bibliográficas

AL-RODHAN, N. *Definitions of Globalization: A Comprehensive Overview and a Proposed Definition*. Genebra: Geneva Centre for Security Policy, 2006.

ALTMANN, Josette. *América Latina y el Caribe: Alba, ¿una nueva forma de Integración Regional?*. Buenos Aires: Teseo, 2011.

BELLO, Walden. *Deglobalization: Ideas for a New World Economy*, 2005.

_____. *Capitalism's Last Stand?* Londres: Zed Books, 2013.

CHOMSKY, Noam. *Occupy: Reflections on Class War, Rebellion and Solidarity*. New Jersey: Zuccotti Park Press, 2013.

CLIMATE SPACE. "Statement: To confront the climate emergency we need to dismantle the WTO and the free trade regime", 2013.

DERBER, Charles. *People Before Profit: The New Globalization in an Age of Terror, Big Money, and Economic Crisis*. Nova York: Picador, 2003.

FOCUS ON THE GLOBAL SOUTH. *The Paradigm: Deglobalization*, 2003. Disponível em <http://focusweb.org/content/paradigm-deglobalisation>.

_____. *Derailers' Guide to the WTO and Free Trade Regime 2.0*, 2013. Disponível em <http://focusweb.org/content/derailers-guide-wto-and-free-trade-regime-20>.

HAAS, Mark & LESCH, David. *The Arab Spring: The Hope and Reality of the Uprisings*. Boulder: Westview Press, 2016.

HARNECKER, Marta. *A World to Build: New Paths toward Twenty-first Century Socialism*. Nova York: Monthly Review Press, 2015.

HARVEY, David. *Neoliberalismo: história e implicações*. São Paulo: Loyola, 2011.

SCHWAB, Klaus. *La Cuarta Revolución Industrial*. Barcelona: Debate, 2016.

SOLÓN, Pablo. *Algunas reflexiones, autocríticas y propuestas sobre el proceso de cambio en Bolivia*. La Paz: Fundación Solón, 2016.

WALLACH, Lori & WOODALL, Patrick. *Whose Trade Organization?: The Comprehensive Guide to the WTO*. Nova York: New Press, 2004.

WALLERSTEIN, Immanuel. *World-Systems Analysis: An Introduction*. Durham: Duke University Press, 2004.

# 7. Complementaridades
Pablo Solón

Complementar-se é completar-se. É buscar construir um todo diverso. É dialogar entre diferentes. É aprender e contribuir com o outro. É reconhecer forças e fraquezas para integrar-se e transformar-se na interação. Em suma, é combinar forças e potencialidades para ir abraçando o todo em suas múltiplas dimensões.

A complementaridade entre o Bem Viver, o decrescimento, os comuns, o ecofeminismo, os direitos da Mãe Terra, a desglobalização e outras propostas busca enriquecer cada um desses enfoques, criando interações cada vez mais complexas que ajudam no processo de construção de alternativas sistêmicas. O objetivo não é apresentar uma alternativa totalizante, mas desenvolver múltiplas alternativas holísticas que se entrelacem e se articulem.

## 7.1. Como enfrentar a crise sistêmica?

Vivemos uma crise sistêmica que só pode ser enfrentada pela conjunção de múltiplos enfoques e pela construção de outros. É uma resposta ao capitalismo, ao produtivismo, ao extrativismo, à plutocracia, ao patriarcado e ao antropocentrismo. Esses seis elementos estão intimamente ligados e se alimentam mutuamente. Pensar na resolução de um desses fatores, isoladamente, é um dos erros mais graves que cometemos.

A superação do capitalismo depende de romper com o produtivismo, profundamente enraizado no extrativismo da natureza e nas estruturas de poder plutocráticas e patriarcais. É impossível pensar em recuperar o equilíbrio do sistema da Terra sem abandonar a lógica do capital, que tudo converte em mercadoria e faz da crise uma oportunidade para novos lucros. A transformação econômica está intimamente ligada à transformação dos valores culturais e simbólicos que habitam e se reproduzem tanto na esfera pública como nos espaços privados da família.

Essas lógicas dominantes operam em todos os níveis: da política às relações pessoais, das instituições de poder à ética, da memória histórica à visão de futuro. Para construir alternativas sistêmicas, não apenas devemos mudar nosso ponto de vista, mas adotar múltiplas perspectivas para analisar e enfrentar o problema. O "todo" sobre o qual deve atuar a complementaridade é a comunidade da Terra. A economia, por sua vez, é um subsistema incrustado na biosfera — não há atividade econômica fora da natureza. A sociedade humana é meramente um dos componentes mais recentes de um complexo sistema em permanente mudança.

A crise sistêmica que estamos vivendo não põe em perigo a existência do planeta, mas de múltiplos ecossistemas que possibilitaram diversas formas de vida. O que está em jogo é a estabilidade climática que permitiu a agricultura e o desenvolvimento de várias civilizações. Muitos seres vivos desaparecerão se esse desequilíbrio continuar a ser alterado. Em síntese, as alternativas sistêmicas devem amortizar e frear a sexta extinção da vida, que está em curso bem debaixo de nossos olhos.

## 7.2. Capitalceno e Plutoceno

A revolução industrial é o ponto de partida desse desequilíbrio, que se tornou mais evidente nas últimas décadas. Alguns dizem que é culpa da atividade humana, mas isso não passa de uma cortina de fumaça quando constatamos que apenas oito pessoas — oito homens — possuem a mesma riqueza que 3,6 bilhões, a metade mais pobre da humanidade (Oxfam, 2017). É incorreto falar de Antropoceno como se todos nós, humanos, tivéssemos o mesmo grau de responsabilidade. É a pequena fração mais rica e poderosa da humanidade que nos conduz ao abismo.

Seria mais correto chamar nossa era de Capitalceno, ou Plutoceno, ou alguma denominação que visibilize o poder destrutivo da lógica do capital e da concentração do poder nas mãos de uma ínfima minoria. É um tipo particular de sistema — e não a atividade humana em si — que invadiu todas as esferas da vida e transformou a vida não humana em simples mercadoria.

Como restabelecer o equilíbrio e, ao mesmo tempo, satisfazer as necessidades fundamentais do conjunto da população? Através de um crescimento que se desconecte da destruição da natureza, como propõe a economia verde? O decrescimento mostra com clareza que se trata de uma miragem. Não há crescimento desassociado de sua base material. O desenvolvimento da tecnologia e a eficiência não levam a reduzir o consumo, pelo contrário.

Qual é, então, o caminho? O Bem Viver oferece uma resposta-chave: a busca de um equilíbrio dinâmico. Uma harmonia entre seres humanos e natureza, que postula um horizonte civilizatório diferente do progresso. Já não se trata de desenvolver-se e ser cada vez mais, mas de complementar-se com o outro e a natureza. Um equilíbrio que engendra novas contradições e que sempre requer novos processos de ajuste. Um novo tipo de modernidade que torna obsoleto o projeto de desenvolvimento capitalista, baseado em crescimento. Um novo paradigma, que nos proponha uma vida que não gire em torno do despojo do outro e da natureza, mas de obter uma articulação adequada das partes de um todo.

## 7.3. O equilíbrio dinâmico e os comuneiros

A busca desse equilíbrio requer decrescimento em algumas regiões e certo crescimento em outras, mas precisa, sobretudo, deixar a lógica do "crescer pelo crescer" e abraçar a busca do equilíbrio dinâmico. Precisamos crescer em energias renováveis e decrescer em energias fósseis. Decrescer no sobreconsumo dispendioso, nas bolhas de poder, e melhorar os níveis de nutrição e de serviços essenciais.

Esse equilíbrio é impossível sem a redistribuição de riqueza e de poder. O bem-estar de todos é impossível sem o combate à absoluta concentração de recursos por meio de processos de expropriação e socialização.

Não se trata de passar de um capitalismo de grandes proprietários privados a um capitalismo de Estado benfeitor sob o nome de "socialismo". Após um século de experiências, está claro que a alternativa ao grande capital não é a estatização de todas as esferas da vida. A redistribuição deve ter no centro outros atores que não o mercado e o Estado. E essa é a grande contribuição dos comuns: sem comuneiros auto-organizados e autogeridos não há redistribuição verdadeira e duradoura. Não se trata apenas de dividir melhor, mas de gerir, de forma diferente e adequada, as fontes da vida. Como propõe o Bem Viver, o papel dos humanos é ser uma ponte e um mediador que contribua à busca do equilíbrio, cultivando com sabedoria o que a natureza nos dá.

A partir dessa perspectiva, não seria suficiente socializar os meios de produção, mas transformá-los totalmente para que respeitem os ciclos vitais da natureza e não sigam pelo caminho do extrativismo, do produtivismo, da privatização do conhecimento, da mercantilização da biodiversidade e da construção de armas que destroem a vida. Na visão de Karl Marx (1859):

> Ao chegar a uma determinada fase de desenvolvimento, as forças produtivas materiais da sociedade se chocam com as relações de produção existentes, ou, o que não é senão a sua expressão jurídica, com as relações de propriedade dentro das quais se desenvolveram até ali. De formas de desenvolvimento das forças produtivas, estas relações se convertem em obstáculos a elas. E se abre, assim, uma época de revolução social.

Marx enfatiza a transformação das relações de produção, mas não das forças produtivas. Essa visão, apresentada em 1859, inspirou por mais de um século os partidos de esquerda. Hoje, porém, estamos às margens de uma catástrofe planetária. Na atualidade não é suficiente transformar as relações de produção e as relações de propriedade. Devemos transformar e frear várias forças produtivas.

O crescimento ilimitado dessas forças em um planeta finito é impossível. Portanto, não se trata de gerir social e ambientalmente, de maneira justa e equilibrada, o legado do capitalismo, mas de transformá-lo. O extrativismo ilimitado deve acabar. Não há futuro para a humanidade com essa corrida desenfreada pela extração de "recursos naturais", na qual servir-se da natureza é convertido em um saqueio.

Aqui, o Bem Viver introduz uma reflexão muito aguda, que questiona muitos dos conceitos dominantes: a única força estritamente produtiva é a Mãe Terra, a natureza. Ela é a criadora, e nós somos meros cultivadores, facilitadores, cuidadores desse processo. Não criamos a água, o petróleo, o oxigênio. Podemos nos servir desses elementos, mas com profundo respeito.

Essa visão é questionada pelo avanço da tecnologia, que cria a falsa ilusão de que tudo é possível, inclusive uma nova gênese, como afirmam alguns promotores da biologia sintética, que propõem criar formas de vida nunca antes conhecidas: qual o sentido de colocar luminárias nas ruas se podemos criar árvores que brilham? Não seria maravilhoso estarmos permanentemente protegidos de vírus e doenças através do registro do código genético apoiado em nossos cromossomos?

Em outro nível, temos a geoengenharia, que sustenta que é possível manipular, em grande escala, o clima planetário para conter o aquecimento global com grandes chaminés que encheriam a atmosfera de compostos sulfúricos, interferindo nos raios de sol e esfriando a superfície, tal como na ocorrência de uma explosão vulcânica.

Apesar de haver uma moratória em torno da geoengenharia, já foram feitos experimentos que, se generalizados, teriam consequências imprevisíveis para a vida e o sistema da Terra. Por que abraçar essas tecnologias tão arriscadas, em vez de cuidar de nossa Mãe Terra? Por que combater o incremento de dióxido de carbono na atmosfera com a contaminação de óxido sulfúrico? Não é muito mais aconselhável respeitar os ciclos da natureza?

Essas reflexões, que surgem das visões do Bem Viver, dos direitos da Mãe Terra, do ecofeminismo e do decrescimento, são muito valiosas, mas inaceitáveis para a lógica do capital.

## 7.4. A lógica do capital e o crescimento

O capital não é uma coisa. Não é dinheiro, maquinário ou propriedades. Ele só existe enquanto se investe para gerar lucros e aumentar o capital: é um processo. Capital que não cresce é expulso do mercado. Logo, não pode aceitar um limite que culmine em sua desaparição, e precisa de uma busca permanente de novas e maiores fontes de lucro. Segundo Marx (2013):

> Toda mercadoria, em seu primeiro passo na circulação, ao sofrer sua primeira mudança de forma, sai de circulação e dá lugar a uma nova mercadoria. Ao contrário, o dinheiro, como meio de circulação, habita continuamente a esfera da circulação e transita sempre no seu interior. Surge, então, a questão de quanto dinheiro essa esfera constantemente absorve.

Sem crescimento, o processo do capital não é possível. Para realizar-se, o capital apela à exploração crescente do ser humano, ao extrativismo sem limites, a um produtivismo desenfreado, a um consumismo exacerbado, a provocar um desperdício irracional, ao colonialismo, à geração de conflitos, à guerra, à especulação financeira e ao monopólio, à mercantilização do todo (material e imaterial), à financeirização da natureza e à supremacia da tecnologia sobre a vida e sobre o próprio sistema do planeta.

Todos os mecanismos permitem, por um tempo, incrementar seus lucros até que o crescimento se modera, declina e causa uma crise. O capital não se dá por vencido e se lança na exploração de novos mecanismos e mercados. Antes, essas crises que se davam ao esgotar uma base material eram cíclicas. Inclusive, houve períodos de glória do capitalismo graças à extração de recursos baratos dos países do Sul. Agora, a crise é permanente. As economias dos antigos países industriais estão estancadas. O capital atinge vários limites de maneira simultânea: os mercados, a demanda, a extração de recursos, a possibilidade de colonizar novos países e territórios.

Na busca insaciável por lucros, o capital busca fazer negócios com a própria crise. Surge assim um capitalismo do caos. Se em algum momento houve quem tivesse esperança em um capitalismo humano e responsável com a natureza, hoje está claro que o único possível é o capitalismo selvagem. Não há regulação válida para o capital, que sempre encontra uma porta traseira para escapar e expandir-se. Falar de equilíbrio e respeito aos ciclos vitais é uma afronta à própria existência do sistema.

A lógica do capital se nutre e se alimenta do antropocentrismo, das estruturas e culturas patriarcais, da concentração de riqueza em poucas mãos, de uma plutocracia recoberta de formas democráticas, do desenvolvimento de uma visão de modernidade e de um imaginário de valores baseados na competição e no individualismo.

A expropriação e a socialização do capital pelo Estado não afetam por si essa essência produtivista e extrativista. Pelo contrário, podem reforçá-la. Por essa razão, a transformação social não deve operar-se unicamente em nível da economia e do direito à propriedade, que são elementos essenciais, mas não determinantes nesse aspecto. O Estado pode nacionalizar a propriedade sem o menor prejuízo para a lógica capitalista, que seguirá invicta.

## 7.5. Uma nova visão de futuro

A superação do capitalismo requer uma nova visão de modernidade. Daí a importância de uma sociedade frugal, que proponha o decrescimento. Uma sociedade simples e moderada, econômica, próspera e prudente no uso dos recursos consumíveis. Ou, como diria o Bem Viver, uma sociedade que promova a harmonia entre os humanos, e não a competição ou o saqueio do outro. Essa visão de outro futuro é a chave do processo de transformação social, pois se o objetivo é que todos os humanos vivam como burgueses, jamais se poderá romper a lógica do capital e do crescimento.

Para satisfazer as necessidades fundamentais da população, sem alimentar um consumismo arrivista, é fundamental uma sociedade autogerida. Pretender que o Estado regule, de cima para baixo, como vive a sociedade, e que os de baixo simplesmente obedeçam, leva a um autoritarismo crescente que somente agrava as tensões. O Estado pode e deve regular certos aspectos, mas, sobretudo, a sociedade é que deve gerir cada vez mais as fontes de vida, de maneira consciente e organizada. A transformação social está nos comuneiros, na capacidade de construir uma modernidade diferente, que tenha no centro o equilíbrio, a moderação e a simplicidade.

O Estado contemporâneo e o capital compartilham do amor pela propriedade e pelo crescimento. Obviamente, existem contradições e tensões entre as vidas privada e estatal, mas, em última instância, ambas se restringem ao conceito de propriedade, negando os comuns e a gestão coletiva de setores-chave para a vida da sociedade e da natureza. Em relação ao crescimento, longe de haver fricções, há quase uma lua de mel. Capital e Estado querem mais consumo e produção — por consequência, mais extrativismo. Maior crescimento, maiores lucros, maiores impostos. Por isso, a resposta a esse problema não virá de nenhum dos dois, mas dos comuns.

## 7.6. Transformação mundial e individual

A desglobalização destaca que, para conseguir uma transformação profunda, é necessário expandir esse processo para além das fronteiras nacionais. Não é possível pensar em um pleno Bem Viver e na realização efetiva dos comuns em um único país, sem desconstruir o capitalismo mundial. Justamente por isso, a proliferação de barreiras e fronteiras contribui à hegemonia desse sistema.

Na superação dele, os antigos países industrializados e as novas economias emergentes têm um papel-chave, já que um processo de transformação, em nível de alguns desses centros de poder econômico, tem uma enorme repercussão sobre o resto da economia mundial. Como muito bem assinala o conceito de decrescimento, é impossível pensar na expansão desse paradigma se esse não se dá nos países que inventaram e disseminaram o câncer do crescimento e do produtivismo.

A construção de alternativas em nível mundial está em permanente movimento, mas o capitalismo também não é um sistema estático. Portanto, o grande aporte da desglobalização é enfatizar a necessidade de análise das diferentes etapas e momentos do processo de globalização. Os comuns, o Bem Viver ou os direitos da Mãe Terra só podem prosperar partindo de uma análise adequada de como avança o processo de globalização.

No entanto, não é possível provocar uma verdadeira mudança mundial se não existe, ao mesmo tempo, uma transformação pessoal, na família e na comunidade. Uma das contribuições do ecofeminismo é evidenciar a necessidade de complementaridade entre mudanças na esfera pública e no privado.

Então, não é possível superar o patriarcado somente com a promoção e a implementação de leis de equidade de gênero se, ao mesmo tempo, não se promove e opera uma mudança na ordem cultural e simbólica que afeta as mulheres, a natureza e também os homens. A promoção de normas que assegurem o direito de decisão das mulheres ou que penalizem o feminicídio e a violência doméstica se vê absolutamente afetada por governantes e autoridades que promovem práticas misóginas e sexistas.

Desmontar as estruturas patriarcais é extremamente difícil porque sua reprodução está invisibilizada pelas estruturas de poder dominantes, em todos os níveis: da família ao sindicato, da comunidade ao partido político, da escola ao governo.

O capitalismo exacerbou essa dinâmica, já presente na maioria absoluta das sociedades pré-capitalistas. Ou seja, a superação do capitalismo não leva necessariamente à despatriarcalização. Experiências de capitalismo de Estado, sob o rótulo de "socialismo", mostram que até mesmo os sistemas de valores patriarcais podem ser reforçados pela nacionalização ou expropriação da grande propriedade capitalista.

A despatriarcalização não é algo inerente aos comuns. Muitas experiências exitosas reproduzem práticas patriarcais. É o caso, por exemplo, dos comuns vinculados à gestão da água e da terra em vários povos indígenas, ou da participação desproporcional de gênero em assembleias de comuneiros.

O Bem Viver e os comuns só florescerão plenamente se visibilizarem e internalizarem, de maneira efetiva, a luta contra as estruturas e a cultura patriarcal. O equilíbrio dinâmico entre os humanos e com a natureza só é possível se ocorrer também no núcleo mais íntimo da vida familiar e pessoal.

## 7.7. Produção e reprodução

O produtivismo invisibiliza os trabalhos de reprodução e cuidado. O lar e a família, a alimentação, a limpeza, o apoio afetivo, a manutenção dos aspectos comunitários são trabalhos reprodutivos, fundamentalmente levados a cabo por mulheres e ignorados pelo produtivismo, interessado apenas em bens ou serviços que possam ser mercantilizados.

Sob essa lógica, o essencial é transformar a natureza em produtos e aumentar a produtividade, fazendo mais em menos tempo. Recorre-se para isso a uma tecnificação e a uma automação crescente do trabalho que, como assinalava Ivan Illich (1978), conduz a um

> implacável processo de servidão para o produtor e de intoxicação para o consumidor. O domínio do homem sobre a ferramenta foi substituído pelo domínio da ferramenta sobre o homem. É aqui que se torna necessário reconhecer o malogro. Já faz uma centena de anos que tentamos pôr a trabalhar a máquina para o homem e educar o homem a servir a máquina. Descobre-se agora que a máquina não "anda" e que o homem não poderia resignar-se às suas exigências, transformando-se toda a vida em seu servidor. Durante um século, a humanidade entregou-se a uma experiência baseada na seguinte hipótese: a ferramenta pode substituir o escravo. Ora bem, tornou-se evidente que, aplicada a tais objetivos, é a ferramenta que torna o homem seu escravo.

O produtivismo termina não só por invisibilizar o trabalho reprodutivo, mas por alienar o trabalhador e criar um exército cada vez maior de desempregados. Se seguirmos por esse caminho, haverá cada vez menos fontes de trabalho para as novas gerações, porque o desenvolvimento da automação reduzirá a necessidade de mão de obra assalariada.

Para atacar as causas estruturais do desemprego, há que sair da lógica do produtivismo, e visibilizar, reconhecer e expandir o trabalho reprodutivo a novas áreas, especialmente ligadas à restauração do equilíbrio com a natureza. Hoje, para ter uma sociedade e uma economia sãs, é fundamental reparar os desbalanços na natureza. Para tanto, é preciso restaurar as florestas, os rios, os mangues, as costas, a atmosfera, a água subterrânea e muitos outros componentes do sistema da Terra. Longe de haver menos necessidade de geração de empregos, há mais, mas para um tipo diferente de funções, que não se baseiam na produção, e sim na reprodução e no cuidado da vida. Centenas de milhões de empregos para cuidar e restaurar a natureza.

E não é que não existam recursos para remunerar esses empregos de que precisamos com urgência. A redução drástica dos gastos militares e de defesa poderia liberar ao menos 1,7 trilhão de dólares ao ano,[8] enquanto a redistribuição de riqueza criaria fontes de subsistência. O problema é que isso implica abraçar uma lógica totalmente diferente. Precisamos não apenas reconhecer e recompensar o trabalho reprodutivo desempenhado pelas mulheres no lar e na comunidade, mas promover esse trabalho a uma escala inédita.

---

8 "Global military spending remains high at $1.7 trillion" [Gastos militares globais continuam altos, em 1,7 trilhão de dólares], em Stockholm International Peace Research Institute [Instituto Internacional de Pesquisa para a Paz de Estocolmo], 2 mai. 2018. Disponível em <https://www.sipri.org/media/press-release/2018/global-military-spending-remains-high-17-trillion>.

## 7.8. Transformação do poder e contrapoder

A questão do poder e a transformação das estruturas de poder em nível estatal foram analisadas de maneira diversa. O Bem Viver aborda a questão em uma perspectiva de colonização e descolonização, e através de práticas de rotação de autoridades nas comunidades indígenas. Os comuns destacam que a verdadeira escolha não se dá entre Estado e mercado, mas em dar mais poder aos comuneiros, ou seja, em potencializar a autogestão. Os direitos da Mãe Terra incorporam a dimensão da natureza à equação, propondo a necessidade de um marco jurídico normativo que regule o Estado e a sociedade para preservar os ciclos vitais, a capacidade de regeneração e a identidade e a integridade da natureza.

O ecofeminismo destaca a inter-relação entre as estruturas de poder estatais e patriarcais. O decrescimento ressalta que tudo tem limites e que a lógica do poder não escapa a este princípio. A desglobalização enfatiza a captura das estruturas de poder, nacionais e supranacionais, pelo grande capital. Todas as visões aportam luzes sobre a transformação das estruturas de poder estatais, mas não esgotam a discussão sobre o tema.

O que fazer com as estruturas de poder estatais? As respostas são várias, e podemos classificá-las em quatro grandes blocos.

Uma primeira visão e prática é a tomada do Estado, sobretudo defendida pelos governos "progressistas" ou de esquerda. Vários dos expoentes afirmam que, dado o perigo da contrarrevolução reacionária, o partido político tem de tomar e controlar, o máximo que puder, as instituições do Estado: Executivo, Legislativo,

Judiciário e toda e qualquer instituição de fiscalização estatal. Se não o fizer, o imperialismo utilizará essas instituições para derrotar o governo. Nesse sentido, o governo pode conduzir transformações que democratizem ou aperfeiçoem a institucionalidade do Estado.

Uma segunda proposta enfatiza a democratização radical do Estado através de uma série de mecanismos, como a revogação de mandato, o referendo, a assembleia constituinte, a independência e o controle interinstitucional, orçamentos cidadãos e outros mecanismos que permitam maior fiscalização e participação cidadãs, enquanto freiam os privilégios e a corrupção nas esferas burocráticas. A leitura é de que, através dessas reformas, é possível transformar o Estado em um instrumento a serviço da sociedade.

Em terceiro lugar está a proposta de correntes autogestionárias e anarquistas, que defendem prescindir do Estado e, consequentemente, superá-lo e aboli-lo para permitir o florescimento de experiências de autodeterminação. Essas correntes consideram que o processo de mudança virá da proliferação e da associação de uma série de experiências comunitárias e autogestionárias locais, que se constituem na contestação e no desmonte do autoritarismo que permeia toda forma de poder estatal.

Uma quarta vertente combina democratização radical do Estado com construção de um contrapoder social. Ou seja, toda estrutura de poder tem lógica e dinâmica próprias, que levam à acumulação de mais poder quando não existe uma força externa capaz de lhe fazer frente (Solón, 2016). Não é suficiente implementar as propostas de democratização radical do Estado. Pessoas, líderes, dirigentes e forças políticas progressistas, quando entram no governo, são capturados pela lógica do poder e assumem decisões programáticas em nome da permanência. Por isso, é necessário construir formas de poder social autônomas e independentes do Estado. Uma espécie de contrapoder social à parte das estruturas estatais. Um contrapoder em diferentes formas: conselhos, assembleias, comunas, coordenações etc., com capacidade não apenas para controlar, mas para fiscalizar e pressionar os rumos do Estado e, sobretudo, promover formas de auto-organização e autogestão em diferentes níveis, sem necessidade de depender ou passar pelo Estado. Uma estrutura independente que alimenta o espaço comum emancipatório da sociedade enquanto incentiva medidas radicais para democratizar o Estado.

Todo movimento político que ingressa nas estruturas de poder para transformá-la deve estar plenamente consciente de que pisa em areia movediça. Sempre haverá impactos negativos e efeitos secundários, como o desenvolvimento de privilégios, tentações de corrupção, alianças pragmáticas e a miragem de que a permanência no poder é a chave da "revolução" social. A única forma de evitá-lo é incentivar o fortalecimento de contrapoderes autônomos, não sob uma lógica clientelista, mas para que sejam realmente autogestionários e capazes de contrapesar as forças conservadoras e reacionárias que se desenvolverão, inevitavelmente, dentro das novas estruturas de poder — e, acima de tudo, para que irradiem os comuns a toda a sociedade.

## 7.9. O caminho da complementaridade

Os processos de complementaridade entre o Bem Viver, os comuns, o decrescimento, os direitos da Mãe Terra, o ecofeminismo, a desglobalização e outras propostas são múltiplos e diversos. Exploramos apenas algumas das possibilidades para incentivar que o leitor siga por essa rota. Longe de aportar conclusões, queremos motivar um novo olhar sobre a realidade, os problemas e as alternativas a partir de diferentes perspectivas, visões e propostas. Estamos convencidos de que a complementaridade ajuda a potencializar cada uma dessas visões, a encontrar fraquezas, a superar fracassos, a trabalhar conjuntamente em respostas a temas que não foram amplamente discutidos, e a avançar dessa maneira na construção de alternativas sistêmicas.

# Referências bibliográficas

CHURCH, George & REGIS, Ed. *Regenesis: How Synthetic Biology Will Reinvent Nature and Ourselves*. N.p.: Basic Books, 2014.

ETC. *Synthetic Biology: Creating Artificial life forms*. Disponível em <http://www.etcgroup.org/files/publication/pdf_file/ETC_COP10SynbioBriefing081010.pdf>. 2010.

ILLICH, Ivan. *A convivencialidade*. Lisboa: Telles da Silva, 1976.

HARVEY, David. *O enigma do capital e as crises do capitalismo*. São Paulo: Boitempo, 2011.

MARX, Karl. *O capital: crítica da economia política — Livro 1: o processo de produção do capital*. São Paulo: Boitempo, 2013.

_____. *Uma contribuição para a crítica da economia política*. 1859. Disponível em <http://www.dominiopublico.gov.br/download/texto/ma000084.pdf>.

MORTON, Oliver. *The Planet Remade: How Geoengineering Could Change the World*. Princeton: Princeton Press, 2015.

OXFAM. *Uma economia para os 99%*. 2017. Disponível em <https://www.oxfam.org.br/sites/default/files/economia_para_99-relatorio_completo.pdf>.

SOLÓN, Pablo. *Algunas reflexiones, autocríticas y propuestas sobre el proceso de cambio en Bolivia*. La Paz: Fundación Solón, 2016.

**Pablo Solón** é ativista ambiental e político boliviano. Serviu como embaixador da Bolívia nas Nações Unidas entre 2009 e 2011, durante o governo do presidente Evo Morales, trabalhando pelos direitos dos povos indígenas, pelo direito humano à água e pelo Dia Internacional da Mãe Terra. Ajudou a impulsionar parte das negociações sobre mudanças climáticas e a articular a Conferência Mundial dos Povos sobre Mudanças Climáticas e os Direitos da Mãe Terra, realizada em Cochabamba em 2010. Entre 2012 e 2015, foi diretor executivo da ONG Focus on the Global South com sede em Bangkok. Em 2016, publicou o livro *Algunas reflexiones, autocríticas y propuestas sobre el proceso de cambio en Bolivia* [Algumas reflexões, autocríticas e propostas sobre o processo de mudança na Bolívia]. Atualmente dirige a Fundación Solón, em La Paz.

**Geneviève Azam** nasceu na França. É economista, professora da Universidade Toulouse-Jean-Jaurès, militante ecologista e altermundialista e membro da Associação pela Tributação das Transações Financeiras para Ajuda aos Cidadãos (ATTAC). Em 2012, publicou *La nature n'a pas de prix: les méprises de l'économie verte* [A natureza não tem preço: os equívocos da economia verde] e, em 2015, *Osons rester humain: les impasses de la toute puissance* [Ousemos permanecer humanos: os impasses do poder].

**Christophe Aguiton** é sociólogo, pesquisador da France Telecom e militante sindical, sendo um dos criadores do sindicato Fédération des Activités Postales et des Télécommunications (Sud-PTT) e um dos fundadores da Associação pela Tributação das Transações Financeiras para Ajuda aos Cidadãos (ATTAC), em 1998. É professor associado da Universidade de Paris-Est Marne-la-Vallée e autor de *La gauche du 21ème siècle, enquête sur une refondation* [A esquerda do século XXI, questões sobre uma refundação], publicado em 2017.

Divulgação

Divulgação

**Elizabeth Peredo Beltrán** é psicóloga social, escritora e ativista. Foi cofundadora do centro Tahipamu de pesquisa em história das mulheres nos anos 1980, membro do comitê nacional de solidariedade com as trabalhadoras domésticas na Bolívia e da Red de Mujeres Transformando la Economía. Coordenou a campanha Outubro Azul na Bolívia pelo direito à água como um bem comum. É autora de livros e artigos sobre mulheres, racismo, crise ambiental e direitos econômicos e culturais relacionados à água. Atualmente, é diretora-executiva da Fundación Solón, em La Paz.